KUAILE HANYU

快乐汉语

教师用书

编　者　李晓琪　罗青松　刘晓雨　王淑红　宣　雅

PEOPLE'S EDUCATION PRESS 人民教育出版社
·北京·

图书在版编目（CIP）数据

快乐汉语（第二版）教师用书：英语版．第1册 / 李晓琪等编．—北京：人民教育出版社，2014.8
ISBN 978-7-107-28189-1

Ⅰ．①快… Ⅱ．①李… Ⅲ．①汉语—对外汉语教学—教学参考资料 Ⅳ．①H195.4

中国版本图书馆 CIP 数据核字(2014)第 189645 号

人民教育出版社 出版发行
网址：http://www.pep.com.cn
大厂益利印刷有限公司印装 全国新华书店经销
2014 年 8 月第 1 版 2014 年 11 月第 1 次印刷
开本：890 毫米×1 240 毫米 1/16 印张：13 字数：210 千字
定价：70.00 元
如发现印、装质量问题，影响阅读，请与本社出版科联系调换。
（联系地址：北京市海淀区中关村南大街 17 号院 1 号楼 邮编：100081）
Printed in the People's Republic of China

总 策 划　许　琳　殷忠民　韦志榕
总 监 制　夏建辉　郑旺全
监　　制　张彤辉　顾　蕾　刘根芹
　　　　　王世友　赵晓非

编　　者　李晓琪　罗青松　刘晓雨
　　　　　王淑红　宣　雅

责任编辑　李　津
审　　稿　狄国伟　王世友
英文审稿　K. Sarah E. Ostrach

封面设计　金　葆
插图制作　李思东工作室

第二版前言

《快乐汉语》系列教材自2003年问世以来，受到了海内外使用者的普遍欢迎，也得到了各方面的关心与爱护。为了满足迅猛增长的汉语学习需求，为了适应时代的发展对国际汉语教材的要求，在国家汉办的领导下，我们与人民教育出版社通力合作，对《快乐汉语》系列教材进行了修订，推出了《快乐汉语》（第二版）系列教材。修订的主要内容如下：

1. 明确每课学习目标

《快乐汉语》以话题为主线编写，每册有8个单元，每个单元涉及1~2个相关话题。为了帮助教师深入了解每一课的教学信息，第二版在每课的首页明确列出了具体的学习目标。每课一般有2~3个教学目标，第一册的前10课还包含了语音学习的目标。学习目标的确定以本课内容为依托，参考了《新汉语水平考试（HSK）大纲》《新中小学生汉语考试（YCT）大纲》和新《国际汉语教学通用课程大纲》中的话题和标准，覆盖了其中所确定的交际话题。

2. 调整拼音的学习、练习和标注

在第一册的前十课，适当增加了语音练习题，内容覆盖声母、韵母和声调，方便教师课堂操作，也便于学习者更自觉地进行语音练习。在练习册和教师用书中也相应地增加了有关拼音学习的练习和分析讲解。

同时，为了更好地体现整套教材的阶梯性，第二版学生用书第三册中的主课文和部分练习不再标注拼音，希望以此为契机，激励学习者能够不依托拼音认读汉字，从而在第一、二册的基础上提高他们的汉语阅读能力，为将来进一步学习汉语打下坚实的基础。

3. 提升文化内涵

为了帮助学习者更好地学习本单元话题所涉及的文化内容，并通过文化对比学习和了解中国文化，第二版在学生用书中新增了文化页，并相应调整和增加了教师用书中的文化内容，以方便教师更好地理解和讲解。文化页设置的原则是：

- 每个单元选择的文化点与本单元的内容密切相关，力争从全局提炼出能够体现传统文化和现代文化的文化点，帮助学习者更多更好地了解中国。

● 文化页以生动活泼、易于被学习者理解的图片为主要呈现形式，并配以简约的文字说明。

● 在教师用书中，每个单元相应增加与文化点相关的拓展内容，为教师提供关于该文化点的更为广泛而深入的信息。

● 原教师用书中已有的文化点内容仍保留，但与新增文化页内容不重复。

4. 扩充词汇量和练习数量

根据HSK、YCT和有关汉语教学标准（大纲）中对学习者词汇量的要求，第二版以不改动原教材基本框架为原则，新增150多个词语，并较均衡地增加到各课中，所有新增词语都进入了每课的词语表，并在课文和练习中重复呈现。

为了不增加学生的学习负担，第二版没有过多地增加学生用书中的练习数量。但为了实现学习目标，并针对海外教师提出的希望增加练习数量的建议，在练习册第二版中参考GCSE及HSK考试题型，在原来每课10~12道练习题的基础上又增加了两道练习题。其中，一道是提高听、说、读能力的知识性题目，另一道是综合性的应用题目，重在培养学习者在现实生活中的语言交际能力，教师可以根据教学进度和需要有选择地为学生选取练习题目。

5. 更有时代感的版式和插图

为了适应时代的发展和教学理念、学习方式及审美观的变化，我们综合海内外汉语教师关于版式和插图方面的意见与建议，为第二版重新设计了新的版式，绘制了更具时代感的插图。希望这些努力能够拉近中国与世界的距离，能够吸引更多的汉语学习者带着愉悦的心情体味学习汉语的快乐。

《快乐汉语》已经走过了十年的路程，我们衷心地希望广大教师都来使用《快乐汉语》（第二版），并与我们建立起密切的联系，为我们提出更好的建议。让我们共同努力，将《快乐汉语》打造成一套具有时代特色的优秀教材！

编　者

2014年4月

第一版前言

本教材使用对象是以英语为母语的11—16岁中学生。全套教材分为三个等级（第一册、第二册和第三册），每个等级有课本（学生用书）和配套的教师用书、练习册、生字卡片、词语卡片、教学挂图和CD等。每册可使用一学年，参考学时为90—100学时，使用者可根据学生以及课堂教学具体情况进行调整。

教材内容（话题、汉字、词语、语法项目、文化点等）和练习项目（听、说、读、写、译等各项言语技能训练）的设置参照了部分英语国家的中学课程大纲和考试大纲，并根据基本交际的需要以及课堂教学的特点，进行了系统的调整与补充。

1. 等级划分

1.1 基本分级

第一册：汉字180个，生词171个，句型93个。

第二册：汉字206个，生词202个，句型123个。

第三册：汉字206个，生词278个，句型123个。

1.2 对等级划分的说明

1.2.1 以上等级划分中汉字数量是指达到认读要求的汉字，要求会写的汉字略少，约占认读总数的70%~80%。

1.2.2 本着教材内容贴近学生生活、引起学生兴趣以及满足基本交际需要的原则，本教材特别注重日常交际中使用频率高、实用的词语和句型。

1.2.3 本教材的语法项目，是根据话题交际的需要而确定的。语法项目在各个单元、各个等级的分配，一是根据语言项目本身的难易程度，二是根据话题表达的需要，三是根据每篇课文的教学容量。

2. 编写原则

本教材体现了针对性、系统性、科学性、趣味性以及独创性原则。

2.1 针对性：使用对象明确定为母语为英语的11—16岁的中学生。

2.2 系统性：教材从话题、汉字、词语、语法等语言项目以及听、说、读、写、译各项言语技能上都有系统的安排和要求。

2.3 科学性：课文语料力求自然、严谨；语言点解释科学、简明；内容编排循序渐进；注重词语、句型等教学内容的重现率。

2.4 趣味性：内容丰富，贴近学生生活；练习形式多样，版面活泼，色彩协调美观。

2.5 独创性：本教材充分遵照汉语自身的特点，充分体现该年龄阶段(11—16岁)的中学生的学习心理与语言认知特点；充分吸收现有中学外语教材的编写经验，在教材体例、课文编写以及练习设计等方面都力求改进、创新。

3. 教材内容

3.1 话题

本教材以话题为主线，共有8个单元，每个单元涉及1~2个相关话题，如第一册的单元话题有“我的家”“学校生活”“时间和天气”等。每个单元包含3篇课文，全册共24篇课文。如“学校生活”单元的3篇课文是《中文课》《我们班》和《我去图书馆》。全套教材3册，共24个单元，72篇课文。每册书的课文都涵盖了本套教材涉及的各主要话题，并根据等级不同，对相同的话题在语言内容上逐步拓展，表达形式上逐步丰富，难度上逐步推进。这种“全面覆盖”“螺旋上升”的编排形式，使学生在学完第一册或第二册后，也可参加相应的考试。同时，也方便有一定的汉语学习背景的学生，直接从第二册或第三册开始学习。对一些根据主话题拓展的子话题，则考虑到各册教材的容量和学生的接受能力，进行了分级。如教育、培训、就业等话题，在第一册中，只涉及学校教育和日常活动，到第三册才涉及到某些与工作有关的话题。

3.2 语法

本教材考虑到学生的年龄特点、学习进程、学习目标等，在学生用书中，基本不涉及语法概念。但是在编写中，通过话题内容的安排，引导学生掌握汉语的基本表达形式。具体做法是：每篇课文根据话题交际的需要选择相应的句型或语言点，编排时则基本以重点句型为课文题目，以突出本课语言训练重点。练习设计也注意通过反复训练，让学生自然领悟一些汉语语法规则，并能够在表达时模仿运用。同时，在每个单元后安排了一个简明的单元小结，对本单元学习的重点句型进行了较为概括的描述，并列举了一些典型的例句。其作用是针对性地帮助学生巩固、复习一个单元的主要语言项目，方便教师进行阶段性的教学总结。在教师用书中，则对课文中涉及的语法现象进行解释、说明，尤其对一些与英语差异较大或学生不易掌握的语言点，进行必要的教学提示。编写语法说明的目的是方便教师备课，并不是全面的汉语语法解释。

3.3 语音

本教材不单独设置语音学习单元，而是随着词语、句子的学习逐步练习正确发音。同时，为方便教师根据需要在课堂上进行语音指导训练，学生用书上附有《普通话声母韵母拼合总表》。

汉语拼音是学生学习汉语的重要手段，本教材尽量利用英语中与汉语语音相对应的形式进行引导训练。对汉语较难发的音，在教师用书中加以提示，引导学生逐步掌握汉语拼音及其拼写规则。

考虑到该年龄段学生语音模仿能力强，是学习正确发音的良好时机，在基本的语言学习内容之外，本教材还适当安排一些游戏性的语音练习材料供学生练习发音用，如歌谣、古诗、绕口令、谜语等。这类练习材料有拼音，有汉字，并且配有英文翻译。

3.4 汉字

汉字教学以认读为基本要求，适当选择一部分常用汉字练习书写。原则上每课要求练习书写5~6个汉字（第一册少于5个，逐册增加）。学生用书上安排笔画、笔顺的练习。教师用书中，对一些有书写要求的汉字，尽量提供相关的汉字知识或教学材料(图片、故事等)，使得汉字教学生动形象。

3.5 言语技能训练

本教材注重学生言语技能的训练。全套教材每篇课文的练习形式都包含听、说、读、写、译五个基本项目。

4. 教材结构

本教材含学生用书、教师用书、练习册。此外，还设计了生字卡片（附在教师用书后）、词语卡片以及教学挂图、CD等辅助教学材料。

4.1 学生用书

4.1.1 内容编排体现教学的基本步骤。

内容编排上打破传统汉语教材只是将课文、生词、练习等机械排列的做法，在编排上体现教学步骤与训练方式，贴近实际课堂教学，便于教师课堂操作，利于学生的学习。

4.1.2 课文内容富有趣味性、现实性。

选材生动活泼，话题真实可感，能激发和调动学生的想象力和创造性。

4.1.3 练习形式多样。

注意学生的年龄特点和语言学习的特点，练习设计鼓励学生的参与意识，练习形式富有互动性、合作性。

4.1.4 丰富的文化含量。

注意引导学生在学习汉语的同时，了解中国的基本情况，如主要城市、名胜古迹、节日、传统习俗、社会生活等。此外，本教材还根据需要配以具有中国特色的图片（剪纸、泥塑、国画、实景照片等），以形成教材文化方面的特色。

4.2 教师用书

既适合母语为汉语的教师使用，也适合母语为非汉语的教师使用。

4.2.1 提示每课的教学步骤、训练方法及练习答案。

4.2.2 充实、拓展教学材料。

在学生用书的基础上，对教学内容、各项练习加以丰富。设计的练习在内容上有一定弹性，在难度上则有适当的阶梯性，可以供教师根据学生兴趣、水平和学时安排等具体情况进行选用。

4.2.3 提示语言知识点。

对一些语言点、词语运用规则以及语音等方面的问题进行解释，并做出相应的教学提示。考虑到汉字教学是对外汉语教学的难点，为了帮助教师指导学生学习汉字，本书将基本汉字知识分为16个要点，分别在第一、二册的16个单元进行了简明介绍。

4.2.4 提示文化背景。

对一些涉及中国文化的知识点进行解释说明，并配有英文翻译。

4.2.5 提供单元测试题。

测试内容既对本单元的话题、句型以及词语等方面的内容进行总结，又在测试形式上尽量向中学外语测试题的形式靠拢，以便使学生逐步适应考试要求。

4.3 练习册

既是教师课堂教学的补充材料，也可以作为学生的课后作业。

4.3.1 练习项目覆盖学生用书的全部内容。

语音、汉字、词汇、句子以及在一定语境下的交际练习都在练习册的设计范围之中。

4.3.2 练习形式变化多样。

变换练习形式，目的是更充分地调动学习者的学习积极性。

4.3.3 注意启发引导学生的潜能。

有些练习超越了学生用书的内容，如根据偏旁组成汉字和汉字书写。希望通过这样的练习，给学习者挑战，启发他们的潜能。

4.3.4 每课练习容量大，为教师提供方便。

每课的练习题目平均为10~12个，每个题目的类型都不同，教师和学生有较大的选择自由度。

4.4 其他辅助材料

为方便教师使用本套教材进行课堂教学，加强教学效果，本教材还设计了相关的辅助教学材料。

4.4.1 生字卡片：每册提供要求书写的全部生字卡片，生字卡片上有读音、书写运笔方向和笔顺的提示、笔画数等，供学生练习汉字书写使用。

4.4.2 词语卡片：每册提供若干张易于表示形象的词语卡片，帮助教师在教学中指导学生认读生词、领会词义、练习发音。

4.4.3 教学挂图：共8张，包括数字、时间、日期、天气、食物、房间、用品等主题。

4.4.4 CD：包括课文中的生词、句型、课文以及听力练习的录音。

为中学生编写趣味性强同时又较好体现出第二语言学习规律的汉语教材，是一种创造性的劳动。本教材一定还有需要改进和提高的方面，欢迎使用者提出修改意见。

《快乐汉语》编写组

2003年5月于北京

目 录

第一单元 我和你

第一课　你　好

教学目标

交际话题：见面打招呼。
语 言 点：你好。
你好吗？
我很好。
生　　词：你　好　你好　吗　我　很
汉　　字：你　好　很
语　　音*：a　o　e

一、基本教学步骤及练习要点

（一）导入：

（1）让学生看句型展示图后，先学句型1。步骤如下：

① 用英语打招呼怎么说？

用汉语打招呼是："你好。"

集体朗读几遍。

② 别人跟我们打招呼，用英语怎么应答？

别人跟我们打招呼时，用汉语应答也是："你好。"

（2）让学生看句型展示图，学习句型2。

见到朋友时，除了用"你好"打招呼，还可以进一步问候。步骤如下：

① 问候朋友时用英语怎么说？

问候朋友用汉语是："你好吗？"

---

*关于汉语语音方面的内容，在第一到第九课中给出了全部的声母和单韵母，并配了适当的音节练习，在第十课进行了综合练习。复韵母不单独练习，而是通过第十一课以后的课后语音练习进行。

集体朗读。

让每个学生说一遍："你好吗？"

② 用英语怎么应答朋友的问候？

用汉语应答是："我很好。"

集体朗读。

让每个学生说一遍："我很好。"

（二）学习生词：老师通过范读、领读的方式使学生熟悉本课生词的发音，并理解词义。

（三）做练习1，听录音或由老师依次说："你好！""你好吗？""我很好。"要求学生听懂后用汉语重复。练习目的是通过听和重复，把发音和意思联系起来。本课 3 个句型轮流说几遍。

（四）做练习2，练习目的是通过看和朗读，把汉字和发音联系起来。

（五）做练习3，练习目的是用正确的方式打招呼。

（1）老师用"你好！"和"你好吗？"轮流提问学生，要求学生用正确的方式快速应答。

（2）每个学生轮流跟其他同学打招呼。注意和别人第一次见面不能说："你好吗？"

（六）做练习4，把相应的中文和英文用线连起来。练习目的是认读本课生词。如需做进一步练习，可参考"练习与课堂活动建议"中的"猜字"练习。

（七）做练习5，朗读并把句子翻译成英文。这是一项综合练习，练习目的是认读本课汉字，巩固发音，并掌握句型意思。

（八）做练习6，首先带学生读这些音，检查他们是否能够自己正确发音。

然后可以做听力练习：先做 ɑ 组，老师打乱四声的顺序朗读，学生根据听到的内容给音节标号，然后按照标号顺序朗读出来，看跟老师的顺序是否相同。这个过程既可以训练学生听辨四声的能力，又可以考查学生是否能够发出正确的声调。然后继续做 o 组，最后做 e 组。

（九）做练习7，训练学生听辨不同韵母的能力，老师可以自行换不同的答案多做几轮。

（十）做练习8，写"你、好、很"。

写每个字之前，老师按照笔顺在黑板上示范，学生先用手在空中跟着一笔一笔地"画"。

问学生注意到没有：写一个汉字的时候，从哪儿起笔？（先上后下，先左后右）

让学生数每个字有几笔。这部分练习不是让学生准确地知道汉字的笔画数量，只是加深对每一笔的印象，所以答案不要求太严格。

学生看书上的笔顺展示，每个字用手在空中"画"几遍。

复印田字格纸给学生，让学生自己写。

附：录音文本和答案

练习7

①o　②e　③a

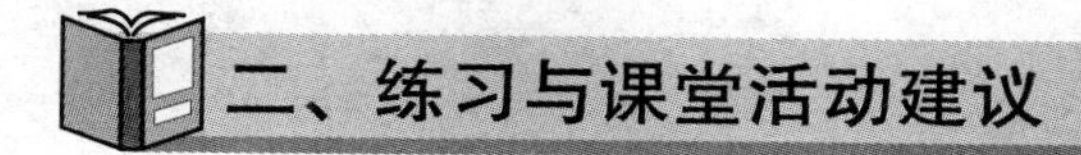

二、练习与课堂活动建议

（一）做“猜字”练习。

老师把本课生词中的字做成汉字卡。

老师轮流出示汉字卡，让学生认读几遍。

老师拿好汉字卡，学生猜最上边的卡上写的是哪个字。

学生猜过后，老师出示卡片，让学生辨认猜得是否正确。

猜中者可上前代替老师拿汉字卡，让其他同学猜。

（二）准备粗笔和各种颜色的彩色纸片，让每个学生写“你好”，贴在教室各个地方。

三、语言点与背景知识提示

（一）形容词谓语句

形容词谓语句是汉语中常见的句式。比如：

你好。

汉语难。

形容词前面常常加表示程度的副词，如“很”。

我很好。

衣服很漂亮。

否定的形式是在形容词前面加“不”。

他不高。

字不清楚。

注意：形容词作谓语，前面一般没有“是”。以下句子如果单独出现是错误的：

× 汉语是难。

× 我是很好。

× 他是不高。

（二）带"吗"的疑问句

在陈述句后面加上"吗"就是一般的疑问句。

你好吗？

汉语难吗？

你是英国人吗？

（三）汉语有四个声调，当两个第三声的字在一起时，第一个字的声调要变成第二声。比如：

nǐ hǎo　ní hǎo 你 好——你 好	shǒu biǎo　shóu biǎo 手 表——手 表
yǔ shuǐ　yú shuǐ 雨 水——雨 水	Xiǎo Lǐ　Xiáo Lǐ 小 李——小 李

（四）"你好"是最常见的打招呼用语，可以对初次见面的人说，也可以对熟悉的人或以前认识的人说，适用于一天中的任何时间。

"你好吗？"用于和熟悉的人或以前认识的人打招呼。

第二课　你叫什么

教学目标

交际话题： 问名字和国籍。

语 言 点： 你叫什么？
我叫李小龙。
你是哪国人？
我是中国人。

生　　词： 叫　什么　是　哪　国　人　中国
英国　美国

汉　　字： 中　国　人

语　　音： i　u　ü

一、基本教学步骤及练习要点

（一）导入：引导学生看句型图，介绍本课要学习的两组句型：一组是问人的名字，一组是问人的国籍。

（二）学习生词：老师出示生词卡片，引导学生理解生词的意思。老师领读，并指导学生朗读生词，掌握这些生词的读音和意思。

（三）做练习1，听录音，按照先后顺序把序号写在听到的词语下边。练习目的是熟悉生词的发音和意思。

（四）做练习2，老师领读，学生跟读。

（五）做练习3，按照录音内容把序号标在头像下边。

（六）做练习4，对话练习。老师先和某一学生做对话示范。然后老师依次和学生进行对话。最后让学生两人一组进行对话。

（七）做练习5，把汉字与相应的英文或图案用线连起来。练习目的是认读本课生词。要进一步认读，可参考第一课“猜字”练习，按生词表做字卡或词卡，让学生猜字或猜词。

（八）做练习6，翻译句子。

（九）做练习7，首先带学生读这些音，检查他们是否能够自己正确发音。

然后可以做听力练习：先做 i 组，老师打乱四声顺序朗读，学生根据所听到的内容给音节标号，然后按照标号顺序朗读出来，看是否跟老师的顺序相同。这个过程既可以训练学生听辨四声的能力，又可以考查学生是否能够发出正确的声调。然后继续做 u 组，最后做 ü 组。

（十）做练习8，训练学生听辨不同韵母的能力，老师可以自行换不同的答案多做几次。

（十一）做练习9，写“中、国、人”。

老师在黑板上示范，学生用手跟着在空中“画”。

学生数笔画。

复印田字格纸，让学生自己写。

附：录音文本和答案

（一）练习1

①人　②叫　③国　④什么　⑤英国　⑥哪　⑦是　⑧中国　⑨美国

（二）练习3

① 你好，你叫什么？

我叫 Jim。

你是哪国人？

我是英国人。

② 你好，你叫什么？

我叫小红。

你是哪国人？

我是中国人。

③ 你好，你叫什么？

我叫李小龙。

你是哪国人？

我是中国人。

④ 你好，你叫什么？

我叫 Mary。

你是哪国人？

我是英国人。

答案：③　②　①　④

（三）练习8

①u ②ü ③i

二、练习与课堂活动建议

（一）让每个学生在纸上画个脸的轮廓，上面写上假想的人物名字和国籍，然后用纸当面具蒙上脸，任意找人对话。问答双方要求用：

你好。	你好。
你叫什么？	我叫……
你是哪国人？	我是……国人。

如果学生感到对话困难，老师可以把句型用板书或卡片展示出来作为提示。

（二）你想有个中文名字吗？请老师根据你的姓的发音找一个中国人常用的姓，根据你名字的发音或你喜欢的意思起一个名，这样你就有一个中文名字了。

三、语言点与背景知识提示

（一）带“什么”和“哪”的特殊疑问句

汉语中用疑问词提问的疑问句，要问的和要回答的信息位置是一样的。比如：

（1）你叫<u>什么</u>？ 我叫<u>李小龙</u>。	（2）你吃<u>什么</u>？ 我吃<u>面包</u>。	（3）你姓<u>什么</u>？ 我姓<u>王</u>。
（4）你是<u>哪国</u>人？ 我是<u>中国</u>人。	（5）你喜欢<u>哪个</u>菜？ 我喜欢<u>这个</u>菜。	（6）你<u>哪天</u>走？ 我<u>今天</u>走。

（二）轻声

某个字在词语中念得短而弱，失去了原有的声调，这叫轻声。比如（画线的是轻声字）：

什<u>么</u>　　你好<u>吗</u>　　这<u>个</u>　　我<u>们</u>　　东<u>西</u>

（三）简化字和繁体字

汉字的笔画在古代和现代有不少变化。现在在中国大陆以简体字为规范汉字，比如“国、个、语、里、么”等等。中国的香港、澳门、台湾省和海外的华人社区多采用繁体字，比如“國、個、語、裏、麽”等等。

（四）中国人的姓名

和西方的人名一样，中国人的名字也包括“姓”和“名”两个部分。

但是，中国人把姓放在名的前面，表示对祖先的尊重。

名字一般都有意义，表达了父母对孩子的希望。比如男孩子的名字中常用表示“强壮、勇敢、聪明”等的字，女孩子的名字中常用表示“美丽、可爱、纯洁、温柔”等的字。

初次见面的人一般不直接叫名字，而是在姓的后面加表示职位、职业或称呼的名词，比如“王部长、张老师、刘先生”等。只叫名字的情况一般出现在熟人之间或长辈称呼晚辈的时候。

Chinese People's Names

Chinese people's names are comprised of two parts, a surname and a first name, just like Western names.

However, Chinese people put the surname, or family name, before the first name as a sign of respect for a person's ancestors.

In general, first names have a meaning expressing parents' aspirations for their child. For example, boys' first names often use characters meaning strong, courageous, intelligent, etc. In girls' first names there are often characters meaning beautiful, lovely, pure, gentle, etc.

When meeting a person for the first time, first names are not usually used right away. Rather, surnames are used followed by a form of address indicating profession, job position, or kinship. Some examples include, Wáng bùzhǎng (Department Head Wang), Zhāng lǎoshī (Teacher Zhang), Liú xiānsheng (Mr. Liu) etc. People usually address each other by first name if they are friends or if an older person is addressing a younger person.

第三课　你家在哪儿

教学目标

交际话题：问居住的城市。

语 言 点：你家在哪儿？
我家在北京。

生　　词：家　在　哪儿　北京　上海　香港　他

汉　　字：我　在　北　京

语　　音：b　p　m　f

一、基本教学步骤及练习要点

（一）导入及生词学习：展示中国地图。领读“北京、上海、香港”三个词，让学生熟悉这三个城市的照片。老师领读其他生词，并讲解生词意思。

（二）做练习1，听录音，在照片上标号码，练习目的是熟悉三个地名。

（三）做练习2，朗读，练习目的是掌握生词和句型的发音。

（四）做练习3，听录音，按照内容把人物和城市联系起来。练习目的是把三个主要城市的发音、意思和汉字联系起来。

（五）做练习4，练习目的是掌握本课的句型。

老师问一个学生：“你家在哪儿？”学生回答：“我家在……”地名可用英文说。

全体学生依次进行。

然后让学生两人一组进行对话。

（六）做练习5，把英文或图案的序号填在相应的中文后面。练习目的是认读本课生词。先做填空练习。要进一步认读，可参考第一课进一步做“猜字”练习。

（七）做练习6，朗读并翻译。

（八）做练习7，带学生读这些音，检查他们是否能够自己正确发音。

（九）做练习8，训练学生听辨不同声母和声调的能力。

（十）做练习9，写“我、在、北、京”。

老师在黑板上示范，学生用手跟着“画”。

提醒学生先上后下或先左后右的笔画顺序。

学生数笔画。

复印田字格纸，让学生自己写。

（十一）教师用书练习说明。

（1）练习1“听和说”，目的是练习听力，并结合说的练习，复习学过的句型。

根据录音内容，在横线上用拼音或英文写出居住的城市。

老师示范，根据练习答案的提示做对话，问姓名、国籍、居住地。

学生两人一组按照练习答案进行对话。

（2）练习2“根据图示进行对话”，练习目的是提高会话水平。

向学生说明图示的意思：

招手＝你好

英国国旗 ＋ ？ ＝你是哪国人？ / 你是英国人吗？

英国国旗＝我是英国人。

房子 ＋ ？ ＝你家在哪儿？

房子＝我家在……

这是根据学生实际情况进行的对话，名字和地名可用英文说。

附：录音文本和答案

（一）练习1

① 北京　　② 香港　　③ 上海

（二）练习3

① 明明，你家在哪儿？

我家在北京。

② 小红，你家在哪儿？

我家在香港。

③ 丽丽，你家在哪儿？

我家在上海。

（三）练习8

① bā　　② pǔ　　③ fá　　④ mù

⑤ bá　　⑥ pù　　⑦ mū　　⑧ fǎ

二、练习与课堂活动建议

（一）听和说。

（1）小红 Xiǎohóng

____

（2）Mary

____

（3）明明 Míngming

____

（二）根据图示进行对话。

＋？

＋？

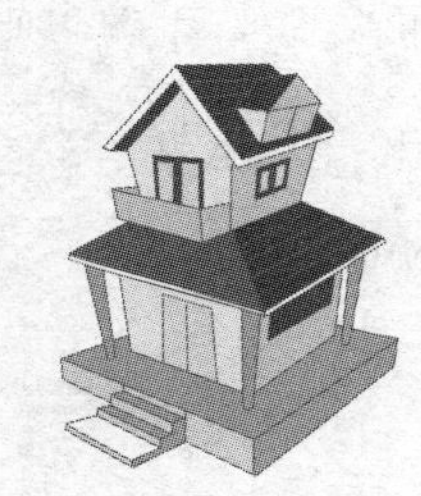

（三）朗读下面的一段话，并仿照这段话介绍自己。

你好。我叫丽丽。我是中国人。我家在上海。

附：录音文本

（1）你好。　　——你好。

你叫什么？　　——我叫小红。

你是哪国人？　　——我是中国人。

你家在哪儿？　　——我家在香港。

（2）你好。　　——你好。

你叫什么？　　——我叫 Mary。

你是哪国人？　　　　——我是英国人。

你家在哪儿？　　　　——我家在London。

（3）你好。　　　　——你好。

你叫什么？　　　　——我叫明明。

你是哪国人？　　　　——我是中国人。

你家在哪儿？　　　　——我家在北京。

三、语言点与背景知识提示

（一）带“哪儿”的特殊疑问句

用“哪儿”提问的疑问句要问的和要回答的信息位置也是一样的，回答时直接把信息放在“哪儿”的位置上。比如：

（1）你家在哪儿？
我家在北京。

（2）这是哪儿？
这是火车站。

（3）哪儿有邮局？
商店的旁边有邮局。

（二）儿化

汉语普通话里有两个“儿”字。

一个有具体的意义。比如“儿童”“幼儿”中的“儿”。

另一个是没有具体意义的后缀，在语音上不能自己成为一个音节。比如“花儿”“小孩儿”中的“儿”，这种现象叫“儿化”。用汉语拼音表示儿化的方法是在原来的韵母后面加上r，比如：花儿huār，小孩儿xiǎoháir。

多数情况下，一个词儿化以后，基本的意义是“小”，表达了说话人喜爱的情感。

（三）汉字简介

汉字是记录汉语的符号，是形、音、义的统一体，比如“您”字，“您”是字形，“nín”是字音，字义是“你的敬称”。这种形、音、义统一体的汉字，称为表意文字，它与只记录发音的拼音文字是很不相同的。

汉字已经有三千多年历史了。在发展过程中，字体和字形都发生了很大变化，比如“马”字。

甲骨文	金文	小篆	隶书	楷书繁体	楷书简体
[甲骨文字形]	[金文字形]	[小篆字形]	马	馬	马

（四）北京、上海和香港

北京是中国的首都，是著名的文化古城，汉语普通话以北京语音为标准音。

北京五十万年前就有古人类居住，京西有一万八千年前古人类生活的遗迹。北京的建城历史有三千多年，并做过八百年的都城，名胜古迹非常多，有明清皇宫“故宫”，有明清皇帝祭天的地方“天坛”，有皇家园林“颐和园”，有古代伟大的工程“长城”，有明朝帝后的陵墓“十三陵”，还有许多公园、博物馆和自然风景区。

北京的春夏秋冬非常明显，春天干燥多风，夏天气温很高，秋天秋高气爽，冬天干燥寒冷。春秋两季很短，夏冬相对较长。

Beijing is China’s capital, well known as an ancient city of culture. The standard Chinese *putonghua* uses Beijing pronunciation.

Prehistoric humans lived in what is now Beijing as long as 500,000 years ago. In West Beijing can be found the 18,000-year-old remains of human habitation. The city of Beijing has a history of over 3,000 years, 800 of which have been as a capital city. Beijing has many famous historic sites, such as the Forbidden City, the Temple of Heaven for the emperors’ sacrificial offerings, and the Summer Palace, a park for the imperial family. Beijing also boasts magnificent examples of engineering, such as the Great Wall and the Thirteen Tombs of the Ming Emperors, along with many parks, museums, and areas of natural beauty.

Spring, summer, autumn and winter in Beijing are very different. Spring is very dry and windy. Summer is humid and stifling hot. In autumn, the sky is clear and the air is crisp, whereas during winter the weather is dry and icy cold. Spring and autumn are very short, while summer and winter are longer.

上海是中国重要的工商业和金融中心，也是主要的对外贸易口岸，工业、商业、对外贸易等都十分发达。居民多说普通话和上海话。

上海位于长江入海口，地势低平。气候温和湿润，四季分明。冬天气温一般不低于零摄氏度。

Shanghai is one of China's important commercial and financial centers and an important port for international trade. Industry, commerce, and trade are very well-developed. The majority of people speak both *putonghua* and Shanghai dialect.

Shanghai is situated on a low-lying plain where the Yangtze River reaches the sea. The climate is warm and humid, with four distinct seasons. Winter temperatures are usually no lower than zero degrees Celsius.

香港是亚太地区的自由贸易港和交通、金融中心之一，有“购物天堂”之称。居民主要说粤语，部分人也使用普通话或英语。

Hong Kong is an independent trade port and communication center, also known as a "shopper's paradise" in the Asian-Pacific region. People mainly speak Cantonese, while some also speak *putonghua* or English.

文化内容拓展

中国概况

中国的地势是西高东低。西边有世界上海拔最高的青藏高原，平均海拔4 000米以上。喜马拉雅山的珠穆朗玛峰是世界最高的山峰，海拔8 844.43米。东边大片的平原是主要的农耕区。中国山地大约占国土面积的三分之二，此外还有多种多样的地貌，如雪山、森林、沙漠、湖泊、河流、草原、海洋等等。

中国国土辽阔，南北气温四季不同。在夏季，除了高海拔地区，全国普遍高温，南北气温差别不大。在冬季，北方平均气温在零度以下，而南方却很温暖，南北气温差别很大。

中国是世界上人口最多的国家，有着丰富的民俗和传统文化，许多经典作品和历史遗迹留存至今。

中国文化比较重视整体，如表达时间按照“年、月、日、时”的顺序，表达位置按照“国、省、市、区、街道、门牌”，即按照从整体到细节的顺序。

中华民族崇尚人与自然的和谐，主张天人合一；崇尚家族和谐，其典型表现就是中国人的姓名要把姓放在名字之前。

中国是世界文明古国之一，文化传承至今从未间断。古代中国为世界贡献了诸多发明创造，在天文、数学、医药、机械、冶金、陶瓷、纺织、建筑等众多方面取得了独具特色的先进成果，如造纸、丝绸、瓷器等。中国制茶、酿酒的历史也非常悠久，食物材料丰富，烹制方法多样，各地区都有独具风格的美味。

继前苏联和美国之后，中国是第三个独立把人类送上太空的国家。

如今，开放、发展的中国正吸引着世界各地越来越多的人们前来旅游、交流与合作。

A Brief Introduction to China

China’s terrain is higher in the west and lower in the east. In the west is Qinghai-Tibet Plateau, the highest plateau in the world with an average height of over 4,000 meters. Mount Everest in the Himalayas, with an altitude of 8,844.43 meters, is the highest peak in the world. Vast plains in the east are China’s main agricultural regions. Mountains and high plateaus comprise two thirds of China’s total land area. Nevertheless, China has other various landforms, such as snow mountains, forests, deserts, lakes, rivers, grasslands, and seas.

China is very large, so the weather patterns in the north and south differ greatly. In summer, temperatures are high across the country except in some high-altitude areas. In winter, temperatures vary considerably as the average temperature in the north is below zero while the south is still very warm.

China is the most populous country in the world. It enjoys a wealth of folk customs and traditional cultures, and many classics art pieces and historical monuments have been preserved.

In Chinese culture, ideas are generally expressed from the most general piece of information to the most specific. For example, time is expressed in the order of year, month, day, and hour; address is expressed in the order of country, province, municipality, district, street or road, and house number.

Chinese people admire the harmony between humans and nature, advocating that humans are the integral part of nature. In China, the family harmony is promoted too. This same tradition of general to specific can be seen in Chinese names, which put the family name before an individual's given name.

As an ancient civilization still thriving today, China continues to develop and share culture and knowledge. Over the course of its long history, China has greatly contributed to the fields of astronomy, mathematics, medicine, machinery, metallurgy, ceramics, textiles, and architecture. Notable Chinese achievements include papermaking, silk, and porcelain. There is also a long history of making tea and wine in China. With a great variety of ingredients, materials, and cooking methods, the cuisine in each region is unique.

China is the third country to independently send people into space after the former Soviet Union and the United States.

Today, an open and developing China is attracting an increasing number of people from around the world, encouraging international exchange and cooperation.

学生用书第一单元“中国文化”页的六张图片分别为：左上：安徽新安江边的油菜花地；中上：中国东北地区的人们在破冰捕鱼；右上：新疆草原上牧民在准备放羊；左下：海南的渔民们正在拉网收获；中下：山西平原上农民正在收割；右下：西藏高原上种植的庄稼。

第一单元测验

1. 听录音，在相应的图片旁边画√。

（1）

Lǚ Bō ________　Lǚ Bō ________　Lǚ Pō ________

（2）

________　________

（3）

________　________　________

Xiānggǎng　Shànghǎi　Běijīng

2. 说一说你自己的名字、国籍和居住的城市。

参考句型：

我叫……

我是……人。

我家在……

3. 朗读。

Wǒ jiào Lǐ Xiǎolóng, wǒ shì Zhōngguórén, wǒ jiā zài Xiānggǎng.

我 叫 李 小龙， 我 是 中 国 人， 我 家 在 香 港 。

4. 写汉字。

nǐ hǎo（hello）________

Zhōngguó（China）________

wǒ（I, me）________

5. **翻译。**

（1）把中文翻译成英文。

Nǐ shì nǎ guó rén?
① 你 是 哪 国 人? ____________________

Nǐ jiā zài nǎr?
② 你 家 在 哪 儿 ? ____________________

Nǐ hǎo ma?
③ 你 好 吗? ____________________

（2）把英文和相应的拼音用线连起来。

Hello.	Wǒ shì Zhōngguórén.
My name is Xiaolong.	Nǐ jiā zài nǎr?
I'm fine.	Wǒ hěn hǎo.
I'm Chinese.	Nǐ hǎo.
Where do you live ?	Wǒ jiào Xiǎolóng.

第一单元测验部分答案

1. **听录音，在相应的图片旁边画√。**

（1）你好。 ——你好。

你叫什么？ ——我叫吕波。

（2）你是哪国人？ ——我是英国人。

（3）你家在哪儿？ ——我家在上海。

答案：（1）Lǚ Bō

（2）

（3）

4. **写汉字。**

你好

中国

我

第 二 单 元
我的家

第四课 爸爸、妈妈

教学目标

交际话题： 谈家庭成员。
语 言 点： 这是我爸爸，那是我妈妈。
这是我。
生　　词： 这　那　爸爸　妈妈　哥哥　姐姐　不
汉　　字： 这　那　爸　妈
语　　音： d　t　n　l

一、基本教学步骤及练习要点

（一）导入：老师与学生简单谈谈家庭成员，老师可准备自己的家庭实物照片，或其他家庭的照片，里面最好有与本课生词相关的人物，如“爸爸”“妈妈”“姐姐”“哥哥”等，把学生引导到本课的特定情境中，并熟悉本课的话题，同时明确本课的学习任务。

（二）学习生词：老师出示本课首页的主情景图，让学生听本课生词录音，掌握每个生词与课文中人物的对应，同时熟悉生词的汉语发音。

（三）老师领读生词，让学生把本课的人物形象和生词对应起来，同时熟悉本课的人物名称。

（四）做练习1和3，使学生在听到生词的汉语发音后，可以与卡通人物形象联系起来，掌握每个生词的发音和意义。

（五）老师带领学生朗读练习2和4，并纠正学生的发音，目的在于让学生在模仿中掌握本课的生词与句型。

（六）导入“这”与“那”(见本课“语言点与背景知识提示”)。老师可以请一个学生协助。老师手持“爸爸”头像，与学生保持一定距离站立，学生手持“妈妈”头像，老师说出：“这是爸爸。”“那是妈妈。”然后与学生交换头像，说出：“这是妈妈。”“那是爸爸。”使学生理解“这”与“那”的近指与远指作用。

（七）做练习5和6，目的在于使学生对“这 / 那 ＋ 不是 ＋ 宾语”的句型有所了解并运用到会话中。在做完练习6之后，可以让学生分成小组，用本练习的句型，做简单的问答会话练习。

（八）做练习7，这是一项综合练习，目的是使学生在学习了本课的生词与句型之后，能够尝试着用汉语描述家庭成员。

（九）语音练习8与9是辅音d、t、n、l与单元音和声调的拼读练习。练习9可以让学生边读边写。

（十）做练习10，写本课的汉字。

老师可在黑板上示范，也可选择电脑演示，学生先跟着用手在空中书写，然后再在田字格中书写。

附：录音文本和答案

（一）练习1

① 爸爸　　② 我　　③ 妈妈　　④ 姐姐

（二）练习3

① 我　　② 妈妈　　③ 姐姐　　④ 爸爸　　⑤ 哥哥

（三）练习4

1）⑤　　2）④　　3）②　　4）①　　5）③

（四）练习6

2）B：那不是我爸爸，那是李小龙。

3）B：这是我妈妈。

4）A：他是英国人吗？

B：他不是英国人，他是中国人。

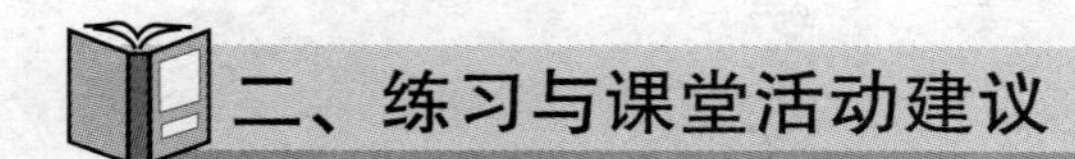

二、练习与课堂活动建议

* **练习**

（一）找拼音。

（1）姐姐 jiějie

（2）这 ______

（3）妈妈 ______

（4）哥哥 ______

nà
bàba
zhè
māma

（5）那 ____________

（6）爸爸 ____________

jiějie
gēge

（二）连线。

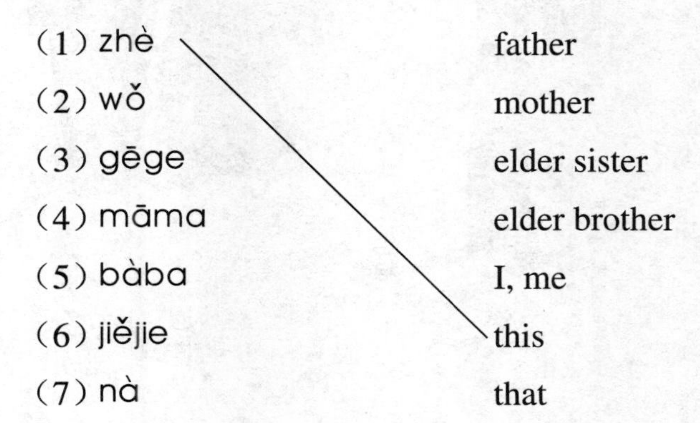

（1）zhè — father

（2）wǒ — mother

（3）gēge — elder sister

（4）māma — elder brother

（5）bàba — I, me

（6）jiějie — this

（7）nà — that

（三）看英文，完成句子。

（1）______是中国人吗？（you）

（2）______是 Ann。（that）

（3）______是我。（this）

（4）他是我______。（father）

（5）______是我哥哥，他是________。（this）（Chinese）

（6）______是我姐姐，我姐姐______香港。（that）（to be at / in）

（7）______是我妈妈，我妈妈______北京。（this）（to be at / in）

（四）看图说话。

A：你好！

B：你好！

A：你叫什么？

B：我叫明明。你叫什么？

A：我叫 Mike。

那是你爸爸、妈妈吗？

B：那是我爸爸、妈妈。

A：你好！

B：____________！

A：你叫什么？

B：_______ Mary。你叫什么？

A：____________小红。

这是你哥哥、姐姐吗？

B：____________________________。

你是哪国人？

我是____________。

这是你爸爸、妈妈吗？

这是____________。

附：练习答案

（一）练习1

（2）zhè

（3）māma

（4）gēge

（5）nà

（6）bàba

（二）练习3

（1）你是中国人吗？（you）

（2）那是Ann。（that）

（3）这是我。（this）

（4）他是我爸爸。（father）

（5）这是我哥哥，他是中国人。（this）（Chinese）

（6）那是我姐姐，我姐姐在香港。（that）（to be at / in）

（7）这是我妈妈，我妈妈在北京。（this）（to be at / in）

* **课堂活动建议**

（一）按照学生做练习1和2的成绩，将本课家庭成员头像分发给学生。成绩好的学生可以选择自己喜欢的人物，得分最高的学生可以优先扮演“我”，其他学生自己选择扮演“爸爸”“妈妈”等家庭成员。由“我”向全班做介绍，目的在于进一步掌握生词和句型。

（二）关于“这”“那”的练习：让学生分别手持家庭成员角色卡片，当“我”读出“这是我哥哥”时，手持“这”“是”“哥哥”的学生要迅速跑到“我”的周围；当“我”读出“那是我姐姐”时，手持“那”“是”“姐姐”的学生要迅速跑到远离“我”的位置；跑错位置的学生下场，由其他学生替代。

三、语言点与背景知识提示

（一）这：与英语中的this意思相近，指代较近的人或事物。如：

这是我妈妈。

这是我哥哥。

这是李小龙。

（二）那：与英语中的that意思相近，指代较远的人或事物。如：

那是成龙。

那是我爸爸。

那是他妹妹。

（三）我爸爸

注意：在汉语口语里，“我”“你”等代词可以直接用在表示亲属关系的名称之前，不用加“的”。在这里“我”相当于英语的my。如：

我妈妈　我哥哥　我奶奶

第五课　我有一只小猫

教学目标

交际话题：谈宠物。
　　　　　学习汉语数字一到六。
语 言 点：我有一只小猫。
生　　词：有　猫　狗　只　小　一
　　　　　二　两　三　四　五　六
汉　　字：只　小　一　六
语　　音：g　k　h

一、基本教学步骤及练习要点

（一）导入：老师引导学生谈谈自己家中的宠物，向学生介绍本课的规定情景，熟悉本课话题，明确本课的学习任务。

（二）学习生词：老师出示第四课的家庭成员的图片，同时出示"猫"和"狗"以及数字手语的图片，让学生听录音或听老师读生词，熟悉本课生词的汉语发音。

（三）老师出示生词卡并领读生词，让学生把本课的图片形象和生词对应起来。请老师注意纠正学生的发音。

（四）讲解中国人的数字手语表示法。

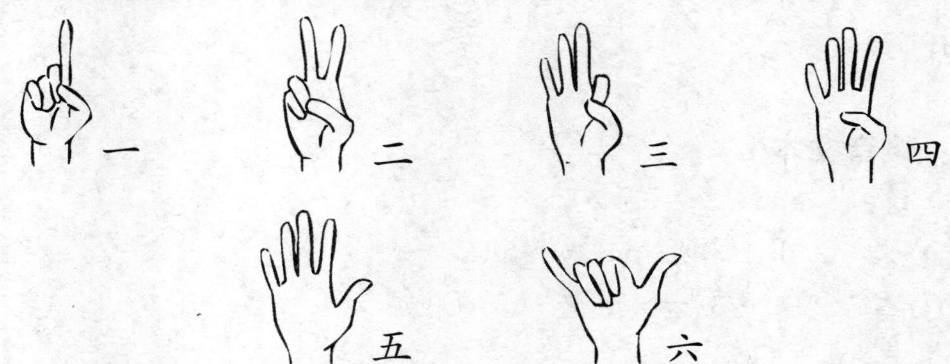

（五）做练习1和3。练习目的在于使学生掌握生词的发音与意义，并建立汉字与实物的联系。

（六）朗读练习2，为导入量词"只"做准备。

（七）导入量词“只”。对比英语与汉语在使用数量词时的异同：英语中在不可数名词前使用量词，或者在一些固定说法中使用量词；而汉语中一般在数词与名词之间使用量词。如：“一______猫”“两______狗”，汉语中必须使用量词“只”（“狗”的前面也可以用“条”）。老师可以出示本课“猫”与“狗”的卡通图片，用1 ×“猫”、2 ×“狗”的方法，让学生说出“数词 ＋ 量词 ＋ 名词”的结构（见本课“语言点与背景知识提示”）。如：六只猫、五只狗、三只猫。

（八）讲练表示领有的动词“有”（“主语 ＋ 有 ＋ 宾语”见本课“语言点与背景知识提示”）。

（九）做练习4。本练习采用由录音引导的方式，使学生首先从声音的角度掌握数量词做“有”的宾语的句子，逐渐从声音上熟悉和掌握汉语数词。

（十）做练习5，逐步掌握本课句型，在语句中增强学生对数字的敏感程度。

（十一）练习6中出现了疑问句，即“主语 ＋ 有 ＋ 宾语 ＋ 吗”的形式，目的在于让学生在对话练习中利用本课的生词和句型连缀成句，激活本课所学的汉语知识。请老师在引导学生完成对话练习后，继续做问答练习，由教师提问，学生回答。然后让学生分成小组，做问答练习。

（十二）练习7的3）目的在于让学生练习使用第三人称描述图片。如：“这是他爸爸，他有一只猫。”“他爸爸有一只小猫。”“这是李小龙，他有一只狗。”“李小龙有一只小狗。”

（十三）练习8和9是发音练习，练习8是在拼读中分辨3个声母，练习9是通过听力练习进一步掌握3个声母与单韵母的拼读规律。做完选择练习后，也可以让学生试着做听写练习。

（十四）做练习10，写汉字。

老师可在黑板示范，也可选择电脑演示，学生先跟着用手在空中书写，然后再在田字格中书写。

附：录音文本

（一）练习1

1）① 只　② 小　③ 狗　④ 猫　⑤ 有

2）① 三　② 五　③ 六　④ 两　⑤ 四

（二）练习4

1）我有一只小狗。

2）他有三只小猫。

3）爸爸有一只小狗。

4）姐姐有五只猫。

5）弟弟有一只小狗。

6）妹妹有四只猫。

（三）练习9

① gā　② hé　③ kǔ

④ hāi　⑤ gǎn　⑥ gào

⑦ kōu　⑧ gǒu　⑨ hòu

二、练习与课堂活动建议

* 练习

（一）读汉语，写英文。

（1）一 ______one______

（2）猫 ____________

（3）狗 ____________

（4）有 ____________

（5）小 ____________

（6）两 ____________

（7）五 ____________

（8）六 ____________

（二）找拼音。

（1）一 ______yī______

（2）二 ____________

（3）三 ____________

（4）四 ____________

（5）五 ____________

（6）六 ____________

sān
wǔ
sì
yī
liù
èr

（三）看手语，写数字。

（1） 3

（2） ______

（3） ______

（4） ______

（5） ______

（6） ______

（四）连接图片和拼音。

（1）

（2）

（3）

（4）

（5）

wǔ zhī māo

yì zhī māo

liù zhī gǒu

liǎng zhī māo

sān zhī gǒu

（五）看英文，说汉语。

（1）I have a small cat. ______

（2）He has a dog. ______

（3）Jim has five cats. ______

（4）Do you have a dog? ______

（5）My mother has three cats. ______

附：练习答案

（一）练习1

（1）one
（2）cat
（3）dog
（4）have
（5）small
（6）two
（7）five
（8）six

（二）练习5

（1）我有一只小猫。

（2）他有一只狗。

（3） Jim 有五只猫。

（4）你有狗吗？

（5）我妈妈有三只猫。

＊ **课堂活动建议**

把“我”“有”“只”“小”“猫”“狗”以及数字卡片和第四课的家庭成员卡通头像发给学生，老师用汉语说句子，学生在听到后按照句子中词语的顺序排列队形。

参考句子：

（1）我有一只小狗。

（2）爸爸有两只狗。

（3）哥哥有一只小猫。

（4）我妈妈有三只猫。

三、语言点与背景知识提示

（一）有①

“有”表示领有，to have。例如：

我有一只小狗。（I have a little dog.）

我有一本书。（I have a book.）

我有朋友。（I have friends.）

（二）量词“只”

“量词”是汉语中表示数量计算单位的词。

在现代汉语里，数词一般不能直接与名词组合，数词和名词之间通常要加一个量词。量词往往与前面的数词结合起来构成句子成分。

本课的量词“只”用于动物（多指飞禽、走兽），如：一只鸡、两只兔子、一只猫、一只羊、一只鸟。

（三）两

“两”一般用于量词和“个、千、万、亿”等数字单位的前面，如：两只手、两本书、两个月、两千块钱等。

第六课　我家不大

教学目标

交际话题： 谈论房子。
学习汉语数字七到十。

语 言 点： 他家很大，他家有十个房间。
我家不大，我家有五个房间。

生　　词： 房子　大　个　房间
厨房　七　八　九　十

汉　　字： 子　大　个　有

语　　音： j　q　x

一、基本教学步骤及练习要点

（一）导入：老师引导学生谈自己家的房子，可以出示照片或本课图片，介绍一个房子的布局，并注意引导学生区分“房子”和“房间”。

（二）学习生词：老师用本课“我”家的房子的图片，让学生听录音或听老师读生词，边听边看老师的示意，使学生对本课生词的读音和意义有基本的了解；然后老师领读生词，注意纠正学生的发音。

（三）讲解中国人的数字手语表示法。

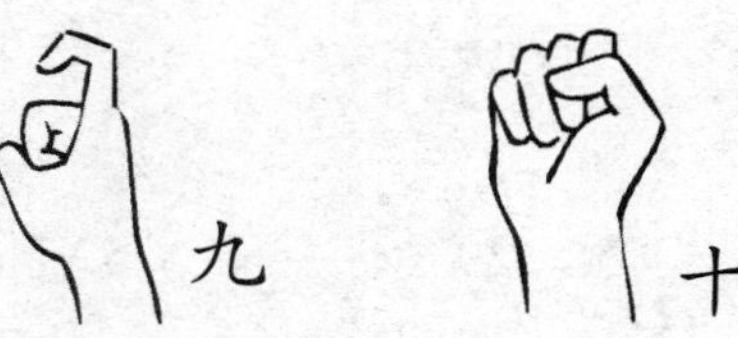

（四）做练习1，练习目的在于使学生掌握生词的发音、意义和汉字字形的对照。方法：让学生听录音，然后根据听到的内容，将这个生词的序号填写进空格内。

（五）做练习2，目的在于使学生了解生词的汉字词形和拼音形态与英文意思的对应。

（六）练习3为两组扩展和朗读练习，从词到词组，然后扩展到本课的句型。可以在学过生词之后，让学生自己尝试着从词到句，做汉语的认读扩展练习，然后再由老师领读。

（七）导入“主语 ＋ 否定副词 ＋ 表示程度的副词 ＋ 形容词”句型，例如：“我家不很大。”“不很……”表示程度减弱，“不很大”在程度上弱于“大”和“很大”，但是强于“小”和“很小”，相当于英语的“not very big ”。

（八）导入表示存在的动词“有”（见本课“语言点与背景知识提示（一）”）。老师可以用如下方法：

我家	有	五个房间
Ann家	有	七个房间
我房间	有	两只小猫
哥哥房间	有	两只狗

（九）做练习5，本练习可以不要求学生书写，只是按照图片的提示，模仿例句说出汉语句子。

（十）做练习8和9，在拼读中辨识j、q、x。练习8可以边听边读边写，加强记忆。练习9是一个辨音听力练习，学生根据录音的内容选择正确的答案。做完听力练习后，可以让学生分组做听读辨音练习。

（十一）做练习10，写本课汉字。

老师可在黑板上示范，也可选择电脑演示，学生先跟着用手在空中书写，然后再在田字格中书写。

附：录音文本和答案

（一）练习1

① 房子　② 厨房　③ 大　④ 房间

⑤ 家　⑥ 个　⑦ 九

答案：

1）①　2）⑥　3）③

4）⑤　5）②　6）④　7）⑦

（二）练习5

2）B: 丽丽家不很大。

3）A: Mike家大吗？

B: Mike家很大。

（三）练习9

录音文本：

① xiā　② jiē

③ qiǎn　④ qiǔ

⑤ jiàng　⑥ xuē

二、练习与课堂活动建议

* 练习

（一）找拼音。

（1）厨房　chúfáng

（2）家　________

（3）大　________

（4）房子　________

（5）房间　________

（6）七　________

（7）八　________

（8）九　________

（9）十　________

dà
bā
fángzi
qī
fángjiān
shí
jiā
jiǔ
chúfáng

（二）看手语，写数字。

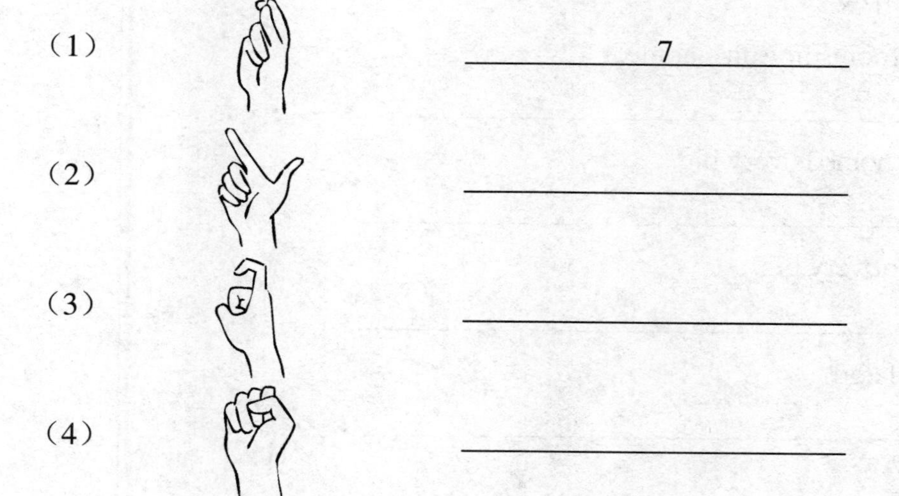

（1）　7

（2）　________

（3）　________

（4）　________

（三）读拼音，写英文。

（1）wǒ jiā ______my home______

（2）nǐ jiā ____________

（3）tā jiā ____________

（4）dà ____________

（5）hěn dà ____________

（6）bù hěn dà ____________

（7）fángzi ____________

（8）fángjiān ____________

（9）chúfáng ____________

（四）看英文，选中文，完成句子。

（1）我家____________。（not very big）

（2）李小龙家_________。（very big）

（3）Jim 家 __________。（very small）

（4）我家有__________。（eight rooms）

（5）他家有__________。（ten rooms）

（6）Ann ___________厨房很大。（home）

① 不很大	② 很小	③ 十个房间
④ 家	⑤ 很大	⑥ 八个房间

（五）看英文，译中文。

（1）There are ten rooms in Ann's home.

______________________________。

（2）Li Xiaolong's home is very big.

______________________________。

（3）His home is not very big.

______________________________。

（4）Is your home large?

______________________________？

（六）听一听，回答问题。

（1）小红是哪国人？

（2）小红家大吗？

（3）Ann是哪国人？

（4）Ann家有几个房间？

（5）Ann有狗吗？

附：练习答案

（一）练习3

（1）my home （2）your home （3）his home

（4）large （5）very large （6）not very large

（7）house （8）room （9）kitchen

（二）练习4

（1）① （2）⑤ （3）②

（4）⑥ （5）③ （6）④

（三）练习5

（1）Ann家有十个房间。

（2）李小龙家很大。

（3）他家不很大。

（4）你家大吗？

（四）练习6

（1）小红是中国人。

（2）小红家不很大。

（3）Ann是英国人。

（4）Ann家有十个房间。

（5）Ann有狗/两只狗。

附：录音文本

练习6

（1）你好！我叫小红，我是中国人。

（2）我家有五个房间，我家不很大。我有一只小猫。

（3）那是Ann，Ann是英国人。

（4）那是Ann家。Ann家很大。Ann家有十个房间。

（5）Ann有两只狗。

* 课堂活动建议

（一）组句与反应练习

练习句型：1）×××家有×个房间。2）×××家很大 / 不很大。

目的：让学生在组句的过程中听到房间的数量，迅速反应并判断这个数字，然后用学过的句型说出自己的判断。

准备：老师把练习中涉及到的“我家”“他家”“李小龙家”“Ann家”分派给部分学生；把“有”“很”“大”分派给其他学生；老师自己掌握十以内的数字。

实施游戏：老师指派学生从主语“我家”等开始，由学生组句。比如，手持“我家”的学生说出“我家”，手持“有”的学生必须立刻说出“有”，老师说出房间数量，组成句子，如：“我家有八个房间。”学生听到句子后，立刻判断有八个房间的房子是不是很大，然后由手持“我家”和“很”“大”的学生组成句子：“我家很大。”又如“我家有两个房间”，学生应该组成句子：“我家不很大。”以此类推。

（二）复习数字：准备数字卡片，让学生抽选其中一个，如“六”，大声读出，然后让其他学生迅速说出与“六”相邻的数字——“五”和“七”，以此类推。目的在于训练学生对汉语数字的反应。

三、语言点与背景知识提示

（一）我家不很大。

这是形容词谓语句的一种否定形式，句型为：“主语＋否定副词＋表示程度的副词＋形容词”，表示程度减弱。例如：

今天不很热。

他不很忙。

香港不很大。

汉语不很难。

试比较：

我家大。

我家不很大。（表示我家不大，但是还可以。）

我家不大。

（二）有②

第五课学习了“有”的用法①，本课学习该词的另一个用法。在本课中，“有”与英语的“ There is / are ”句型用法相似，表示存在。句首一般用处所词语或时间词语。

“有”后面是存在的主体，否定形式为“没有”“没”。例如：

我家有两个房间。

书架上有很多书。

今天没有课。

八点钟没有约会。

（三）量词“个”

“个”，通用个体量词。用于没有专用量词的名词前面。比如“一个人、一个房间、两个西瓜、一个地方、一个字、一个故事”等等。

某些有专用量词的名词前面有时也可以用“个”作为量词。

（四）独体字与合体字

从汉字的结构看，汉字可以分为独体字和合体字。独体字是笔画结合紧密，只有一个结构单位，不可分割的汉字，如“日、月、人、木、水”等。合体字是两个或两个以上结构单位的汉字，如“明、林、众、霜、想”等。

文化内容拓展

中国人的亲属称谓

中国人历来重视家庭生活，家庭观念在中国文化中占有重要的地位，家族制度是社会最基本的内核。亲属之间的称谓在中国格外重要，孔子说："名不正则言不顺。"亲属之间远近亲疏、长幼尊卑的秩序，特别体现在对彼此的称谓上。中国人的亲属称谓也比西方国家的亲属称谓更详细。

亲属的构成分为血缘关系和婚姻关系两类，因而亲属的称谓也可以从这两类关系中找到脉络。

主要亲属称谓可用下图表示：

The Appellation of Chinese Relatives

Historically, Chinese people have attached great importance to family life. The concept of family is very important in Chinese culture. With the family as the most basic kernel of Chinese society, the appellation of family members and relatives has been, and still is, particularly important. Confucius once said, “If the name is not correct, the speech will not be heeded.” As such, the order of relatives and the relationship between relatives are demonstrated in the appellation. The appellation of relatives in a Chinese family are much more specific than those used in Western families.

Relatives are divided into two categories: blood relationship and marriage relationship. And the appellation of family relatives is derive from the different branch of them.

Principal kinship terms are available above.

学生用书第二单元“中国文化”页的三张图片分别为：上图：中国传统大家庭；中图：三代同堂的中国家庭；下图：三口之家。

第二单元测验

1. 听录音，选择正确答案。

(1)				
(2)				
(3)	sān gè	liǎng gè	wǔ gè	liù gè
(4)	hěn xiǎo	bù hěn dà	hěn dà	xiǎo

2. 说说图片的内容。

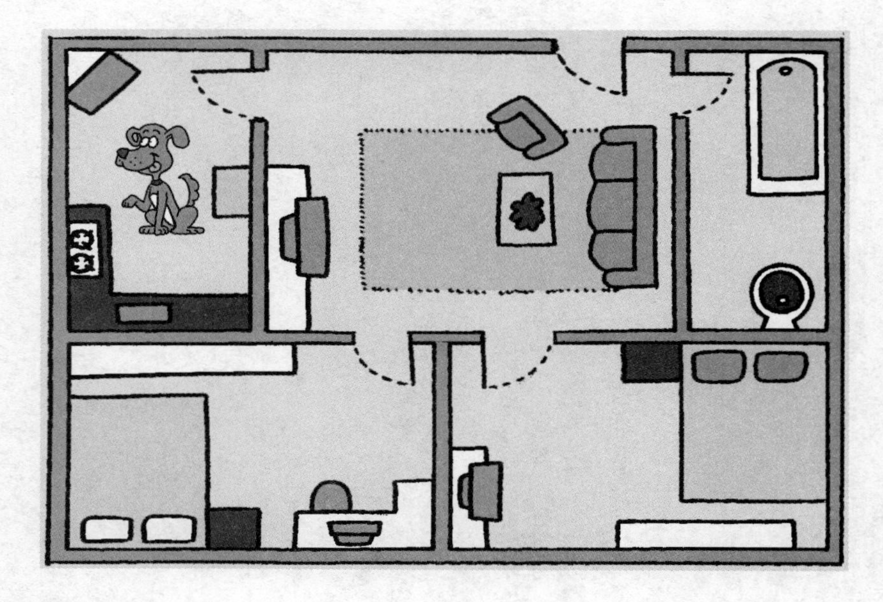

参考句型和词语：

……家有……

不很

一只

3. 朗读。

Zhè shì wǒ bàba.
（1）这 是 我 爸爸。

Wǒ yǒu yì zhī xiǎo māo.
（2）我 有 一 只 小 猫。

Wǒ jiā yǒu shí gè fángjiān, wǒ jiā hěn dà.
（3）我 家 有 十 个 房 间，我 家 很 大。

4. 写汉字。

（1）zhè （this）
（2）liù （six）
（3）dà （large）
（4）gè （a measure word）
（5）yǒu （have）

5. 翻译。

（1）把中文翻译成英文。

Zhè shì wǒ jiějie.
① 这 是 我 姐姐。

Wǒ jiā yǒu qī gè fángjiān.
② 我 家 有 七 个 房 间。

Wǒ jiā bù hěn dà.
③ 我 家 不 很 大。

Mike yǒu liǎng zhī māo.
④ Mike 有 两 只 猫。

（2）连线。

① Is this your elder sister?	Wǒ de fángjiān hěn dà.
② Is your home large?	Zhè shì nǐ jiějie ma?
③ Do you have a puppy?	Nǐ jiā dà ma?
④ My room is very large.	Nǐ yǒu xiǎo gǒu ma?

第二单元测验部分答案

1. **听录音，选择正确答案。**

（1）这是我妈妈，那是我哥哥。

（2）他有两只小狗。我有一只猫。

（3）小红家有两个房间，我家有六个房间。

（4）我家不很大，李小龙家很大。

（1）				
		√	√	
（2）				
			√	√
（3）	sān gè	liǎng gè	wǔ gè	liù gè
		√		√
（4）	hěn xiǎo	bù hěn dà	hěn dà	xiǎo
		√	√	

4. **写汉字。**

（1）这　（2）六　（3）大　（4）个　（5）有

5. **翻译。**

（1）把中文翻译成英文。

① This is my elder sister.

② There are seven rooms in my home.

③ My home is not very large.

④ Mike has two cats.

（2）连线。

① Is this your elder sister?
② Is your home large?
③ Do you have a puffy?
④ My room is very large.

第 三 单 元
饮 食

第七课 喝牛奶，不喝咖啡

教学目标

交际话题：早上问好语。
谈论早餐。
语 言 点：早上好！
我喝牛奶。
我不喝咖啡。
生　　词：面包　鸡蛋　牛奶　咖啡　吃
喝　早上
汉　　字：早　上　吃　牛
语　　音：zh　ch　sh　r

一、基本教学步骤及练习要点

（一）简单与学生用英语谈论他们的早餐，如谁准备早餐、吃什么、喝什么，目的是引入本课情景，学会用汉语表达。领读生词，讲解词义。

（二）做练习1，熟悉生词的发音和意思，把音与义结合起来。

（三）做练习2，通过朗读熟悉词语和词语搭配，所学食品饮料名称可以替换，如：“牛奶”替换“咖啡”，“鸡蛋”替换“面包”。

（四）做练习3，听录音并跟读，通过选择检查理解程度，重点讲解基本句型，明确句子结构：

（1）问候方式：

早上好！

（2）某人 ＋ 动词 ＋ 宾语，例如：

我吃面包。

我喝牛奶。

妈妈喝咖啡。

（3）某人 + 不 + 动词 + 宾语，例如：

我不吃面包。

他不喝牛奶。

妈妈不喝咖啡。

（五）做练习4，可以让学生两人一组进行练习。

（六）做练习5，认读词语并进行搭配，进一步加强汉字认读能力。

（七）做练习6，翻译，目的是巩固本课所学内容。

（八）做练习7，认读拼音。带学生朗读zh、ch、sh、r四个声母与带调韵母拼成的音节。zh、ch、sh、r属于难点，建议多练习朗读。还可以进行听辨音训练，可先练习不同声母带同一韵母同一声调，然后再练习不同声母带不同韵母或不同声调。

（九）做练习8，根据录音内容做辨音练习。也可以老师读，学生选，还可以学生读，学生选。

（十）做练习9，写汉字。

老师可在黑板上示范，也可选择电脑演示，学生先跟着用手在空中书写，然后再在田字格中书写。

（十一）根据学生水平，可选做教师用书中的练习。

（1）练习1—3帮助学生进一步熟悉词语和基本句型。

（2）练习4让学生练习认读句型和翻译。

附：录音文本

（一）练习1

① 咖啡　② 面包　③ 鸡蛋　④ 牛奶

⑤ 吃　⑥ 喝　⑦ 早上

（二）练习3

1）小海：早上好，妈妈！

妈妈：早上好，小海！你吃什么？

小海：我吃鸡蛋。

妈妈：你喝什么？

小海：我喝牛奶。

2）丽丽：早上好，爸爸！

爸爸：早上好，丽丽！你吃什么？

丽丽：我吃面包、鸡蛋。

爸爸：喝咖啡吗？

丽丽：我不喝咖啡，我喝牛奶。

（三）练习8

① zhī　② chā　③ shū　④ zhē

⑤ rè　⑥ shí　⑦ chǐ　⑧ zhà

二、练习与课堂活动建议

*　练习

（一）把拼音和相应的图连在一起。

fángjiān

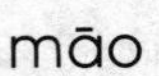

māo

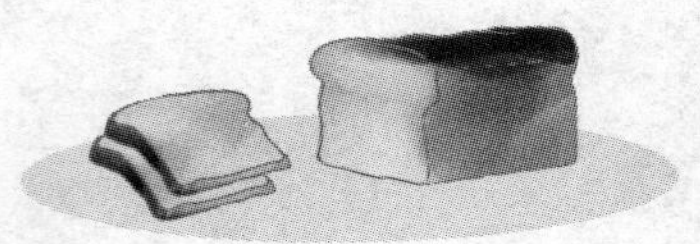

miànbāo

jīdàn

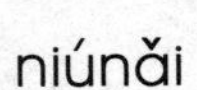

niúnǎi

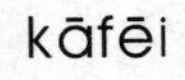

kāfēi

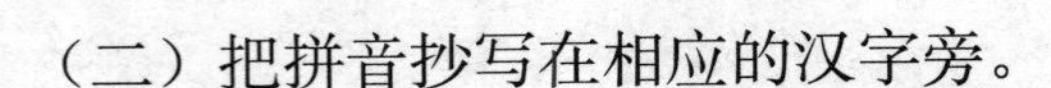

（二）把拼音抄写在相应的汉字旁。

jīdàn
niúnǎi
miànbāo
kāfēi
zǎoshang
chī
hǎo
hē

面包______________　吃______________

好______________　咖啡______________

牛奶______________　早上______________

鸡蛋______________　喝______________

（三）选词填空。

zǎoshang	shénme	hē	bù
早上	什么	喝	不

Tā chī
（1）他 吃__________？

hǎo!
（2）__________好！

Xiǎohǎi chī jīdàn.
（3）小海__________吃 鸡 蛋。

Bàba kāfēi.
（4）爸爸__________咖啡。

（四）看中文，写英文。

Zǎoshang hǎo, māma!
（1）早 上 好，妈 妈！

____

Wǒ chī miànbāo, wǒ bù chī jīdàn.
（2）我 吃 面 包，我 不 吃 鸡 蛋。

____

Wǒ hē niúnǎi, bù hē kāfēi.
（3）我 喝 牛 奶，不 喝 咖 啡。

____

Wǒ yǒu yì zhī xiǎo māo. Xiǎo māo chī shénme? Xiǎo māo hē shénme?
（4）我 有 一 只 小 猫。小 猫 吃 什 么？小 猫 喝 什 么？

____

* 课堂活动建议

皇帝 / 皇后的命令：学生每人一套词语卡片，老师先作为皇帝 / 皇后发出命令："我吃面包。"学生挑出"面包"那一张词语卡片，把有图案的一面展示给老师；如果皇帝 / 皇后说："我不吃面包。"学生挑出"面包"那一张词语卡片，把写有汉字的一面展示给老师（具体规则可以自行规定）。挑选正确且动作最快的学生可以作为皇帝 / 皇后发出下一个命令。

三、语言点与背景知识提示

肯定句和否定句

	主语	否定词	谓语	宾语
肯定	我		吃	面包
	他		喝	牛奶
否定	我	不	吃	鸡蛋
	妈妈	不	喝	咖啡

如表中所示，汉语否定词放在要否定的动词或形容词前边，其他语序不变。

第八课　我要苹果，你呢

教学目标

交际话题： 谈论水果、饮料。
讨论你要什么。

语 言 点： 你要水果吗？
我要苹果，你呢？

生　　词： 水果　苹果　果汁　汽水　茶　要　呢

汉　　字： 要　水　汽　茶

语　　音： z　c　s

一、基本教学步骤及练习要点

（一）简单与学生用英语和汉语谈论他们渴的时候和饿的时候需要什么，鼓励他们使用上一课学过的词语。老师注意使用与“你呢？”（And you? What about you?）相同的表达方式，目的是引入本课情景。

（二）学习生词，领读并纠正发音。可以解释“果”字的意思，在本课可以组成“水果”“苹果”“果汁”。

（三）做练习1，熟悉生词的发音和意思，把音与义结合起来。

（四）做练习2，熟悉词语的搭配，其中的名词可以用学过的词语替换。

（五）做练习3，通过听力练习学习词语和句型，重点讲解三种疑问句形式：

（1）要 ＋ 什么？

（2）要 ＋ 名词 ＋ 吗？

（3）A ＋ 要 ＋ 名词，B ＋ 呢？

（六）做练习4，用上述三种疑问句形式完成对话，学生可以两人一组进行。

（七）做练习5，巩固认读与词义结合，加强认读理解能力。

（八）做练习6，看图说话，学生自由对话，注意提示使用上述三种疑问句。

（九）做练习7，认读拼音。带学生朗读 z、c、s 三个声母与带调韵母拼成的音节。先熟读再适当进行听辨练习。

（十）做练习8，辨音练习。在前一练习的基础上，注意区分 z、c、s 与 zh、ch、sh。可先带领学生朗读再根据录音内容做辨音练习。也可以老师读，学生选，还可以学生读，学生选。

（十一）做练习9，写汉字。老师可在黑板上示范，也可选择电脑演示，学生先跟着用手在空中书写，然后再在田字格中书写。

（十二）根据情况，可选做教师用书中的练习。

（1）练习1、2帮助学生进一步熟悉词语。

（2）练习3让学生进一步熟悉三种疑问句形式。

（3）练习4、5翻译练习和看图说话，促进学生理解并使用句型。

附：录音文本

（一）练习1

① 苹果　② 汽水　③ 茶　④ 果汁　⑤ 水果

答案：③①⑤④②

（二）练习3

（1）Mary：Jim，你要什么？

Jim：我要苹果。

Mary：你要汽水吗？

Jim：我不要汽水，我要果汁。

（2）Ann：Mike, 你要水果吗？

Mike：我不要水果。

Ann：你喝什么？

Mike：我喝汽水。Ann，你呢？

Ann：我要茶。

（三）练习8

① sā　② cī　③ sū　④ zè　⑤ sì　⑥ chū

⑦ zá　⑧ shā　⑨ cī　⑩ sā　⑪ zhū　⑫ zē

二、练习与课堂活动建议

* 练习

（一）把拼音和相应的图连在一起。

（1）chá　māo　jīdàn　gǒu

（2）píngguǒ　　shuǐguǒ　　qìshuǐ　　guǒzhī

（二）把字和相应的拼音、英文连接在一起。

（1）niúnǎi	果汁	apple
（2）guǒzhī	汽水	tea
（3）chī	牛奶	milk
（4）chá	苹果	soft drinks
（5）píngguǒ	要	eat
（6）yào	你呢？	And you?
（7）Nǐ ne?	茶	juice
（8）qìshuǐ	吃	want

（三）选词填空。

shénme　ma　ne
什么　吗　呢

Nǐ yào
（1）你要__________？

Nǐ yào qìshuǐ
（2）你要汽水__________？

Tā hē
（3）他喝__________？

Wǒ yào píngguǒ, nǐ
（4）我要苹果，你__________？

Tā chī miànbāo
（5）他吃面包__________？

Māma yào niúnǎi, bàba
（6）妈妈要牛奶，爸爸__________？

（四）看中文，写英文。

Nǐ yào shénme?
（1）你 要 什 么？

____

Wǒ yào guǒzhī, nǐ ne?
（2）我 要 果 汁，你 呢？

____

Wǒ bú yào guǒzhī, wǒ yào chá.
（3）我 不 要 果 汁，我 要 茶。

____

Nǐ yào jīdàn ma?
（4）你 要 鸡 蛋 吗？

____

Wǒ yào jīdàn, bàba ne?
（5）我 要 鸡 蛋，爸 爸 呢？

____

Tā bú yào jīdàn, tā chī miànbāo.
（6）他 不 要 鸡 蛋，他 吃 面 包。

____

（五）看图说话。

参考词语：要、什么、吗、不、呢。

* **课堂活动建议**

学生三人或四人一组，其中一人扮演售货员，另外两个或三个学生扮演顾客。

三、语言点与背景知识提示

（一）用“吗”的疑问句

在陈述句后加“吗”，是汉语最常见的疑问句形式之一。“吗”放在句尾，句中的词语排列顺序不变。第一课已经讲过“形容词 + 吗？”如：“你好吗？”本课学习“吗”的另一种用法：“动词＋名词＋吗？”如：

你要水果吗？

你喝汽水吗？

（二）用“呢”的疑问句

在名词、代词的后面加上“呢”构成另一种疑问句，省略上文中出现过的谓语部分，同英语中的“and...?”“what about...?”意思和作用相似。本课用法为：“A + 动词 + 宾语，B + 呢？”如：

我要苹果，你呢？（I want an apple, what about you?）

A: 你好吗？（How are you?）

B: 我很好，你呢？（I'm fine, and you?）

（三）中国茶

有人称中国为茶的故乡，茶是中国的传统饮料，也是世界三大饮料之一。中国茶主要分为绿茶（如浙江的龙井茶、安徽黄山的毛峰、江苏的碧螺春）、红茶（如安徽的祁红、云南的滇红、四川的川红）、乌龙茶（如福建的铁观音和大红袍）和花茶（如中国北方人喜欢的茉莉花茶）。

Chinese Tea

Some people say that China is the birthplace of tea. Tea is China's traditional drink, and one of the world's three most popular drinks. Chinese tea is generally divided into the following four groups: green tea, black tea, *oolong* tea, and flower tea. Famous green teas are Longjing from Zhejiang Province, Maofeng from Anhui Province, and Biluochun from Jiangsu Province. Qihong from Anhui Province, Dianhong from Yunnan Province, and Chuanhong from Sichuan Province are all famous black teas. Tieguanyin and Dahongpao, the *oolong* tea from Fujian province, are also China's most famous teas. Flower teas are made from fragrant flowers such as jasmine, which is a popular tea in the north of China.

第九课　我喜欢海鲜

教学目标

交际话题： 谈论食物。
谈论喜欢的食物。

语 言 点： 我喜欢海鲜，也喜欢菜。
我喜欢牛肉，他也喜欢牛肉。

生　　词： 喜欢　海鲜　也　菜　牛肉　鱼
米饭　面条儿

汉　　字： 也　米　肉　鱼

语　　音： y　w

一、基本教学步骤及练习要点

（一）简单与学生用英语和汉语谈论他们喜欢的食物，鼓励他们使用学过的词语和表达方式，有意识地用上与“也”相同的表达方式，目的是引入本课情景。

（二）学习主情景图和生词部分，主要是看图熟悉生词，体会“也”的意思和表达方式。

（三）做练习1，熟悉生词的发音和意思，把音与义结合起来。这里加入了本单元学过的部分食品名称。

（四）做练习2，把词义和字形联系在一起，进一步熟悉发音和本课句型“也”的用法。

（五）做练习3，通过选择达到理解的目的，可以反复听录音并让学生跟读，熟悉“也”的表达方式。

（六）做练习4，每人说出一句与所给出的词语有关的句子，如果是问句可让其他学生回答。

（七）做练习5，巩固认读。用短语和句子的形式出现，加强整体理解，也可以由老师任意朗读其中一句，让学生找出相应的句子。

（八）做练习6，综合复习。先翻译，然后让学生模仿例句介绍自己的情况。

（九）做练习7，认读拼音。带学生朗读带有y、w的音节。特别要说明y、w的用法和拼写规则如下：

i，ü领头的韵母，前面没有声母时，要用y开头，如果i后面还有别的元音，就把i改为y，如ie改为ye（也yě）；如果i后面没有别的元音，就在i前面加写y，如i改为yi（一yī）；而ü后面无论有没有别的元音，一律要在ü前加写y，加y后去掉ü上的两点，如ü改为yu（鱼yú）。

u领头的韵母，前面没有声母时，要用w开头。如果w后面还有别的韵母，就把u改写为w，如uo改为wo（我wǒ）；如果u后面没有别的元音，就在u前加写w，如u改为wu（五wǔ）。

（十）做练习8，听录音做辨音练习。也可以老师读，学生选，还可以学生读，学生选。

（十一）做练习9，写汉字。老师可在黑板上示范，也可选择电脑演示，学生先跟着用手在空中书写，然后再在田字格中书写。

（十二）根据情况选做教师用书中的部分练习。

（1）练习1—3帮助学生进一步熟悉词语；

（2）练习4有提示地完成对话，进一步运用所学句型。

附：录音文本

（一）练习1

（1）海鲜 （2）牛肉 （3）米饭 （4）面条儿 （5）鱼 （6）菜

（二）练习3

（1）小红：小海，你喜欢什么？

小海：我喜欢海鲜。

小红：你喜欢菜吗？

小海：我也喜欢菜。

（2）Ann：Mike，你喜欢什么？

Mike：我喜欢牛肉。Ann，你呢？

Ann：我喜欢牛肉，也喜欢鱼。

Mike：你喜欢米饭吗？

Ann：我喜欢米饭，你呢？

Mike：我喜欢米饭，也喜欢面条儿。

（三）练习8

①yí ②yǎ ③yě ④yù ⑤wǎ ⑥wū

⑦wò ⑧wù ⑨yī ⑩yě ⑪wá ⑫wǔ

二、练习与课堂活动建议

* 练习

（一）把相应的图和词语连在一起。

yú 鱼		niúròu 牛肉	
shuǐguǒ 水果	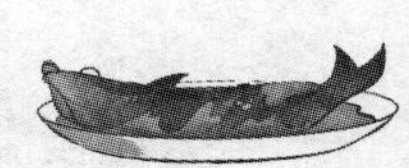	jīdàn 鸡蛋	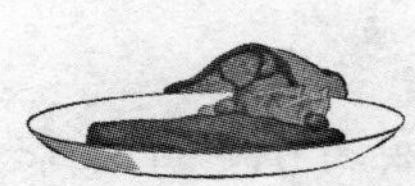
hǎixiān 海鲜		miàntiáor 面条儿	
mǐfàn 米饭		niúnǎi 牛奶	

（二）听录音选择，画√或×。

（1）面条儿　米饭
　　√　　×

（2）牛肉　牛奶
　　____　____

（3）海鲜　菜　水果
　　____　____　____

（4）茶　汽水　咖啡
　　____　____　____

（三）读拼音，把相对应的拼音、汉字和英文连在一起。

(1) xǐhuan	牛肉	seafood
(2) yú	米饭	like
(3) niúròu	鱼	beef
(4) cài	喜欢	also, too
(5) miàntiáor	海鲜	vegetable
(6) yě	面条儿	fish
(7) mǐfàn	也	rice
(8) hǎixiān	菜	noodles

（四）完成对话。

（1）

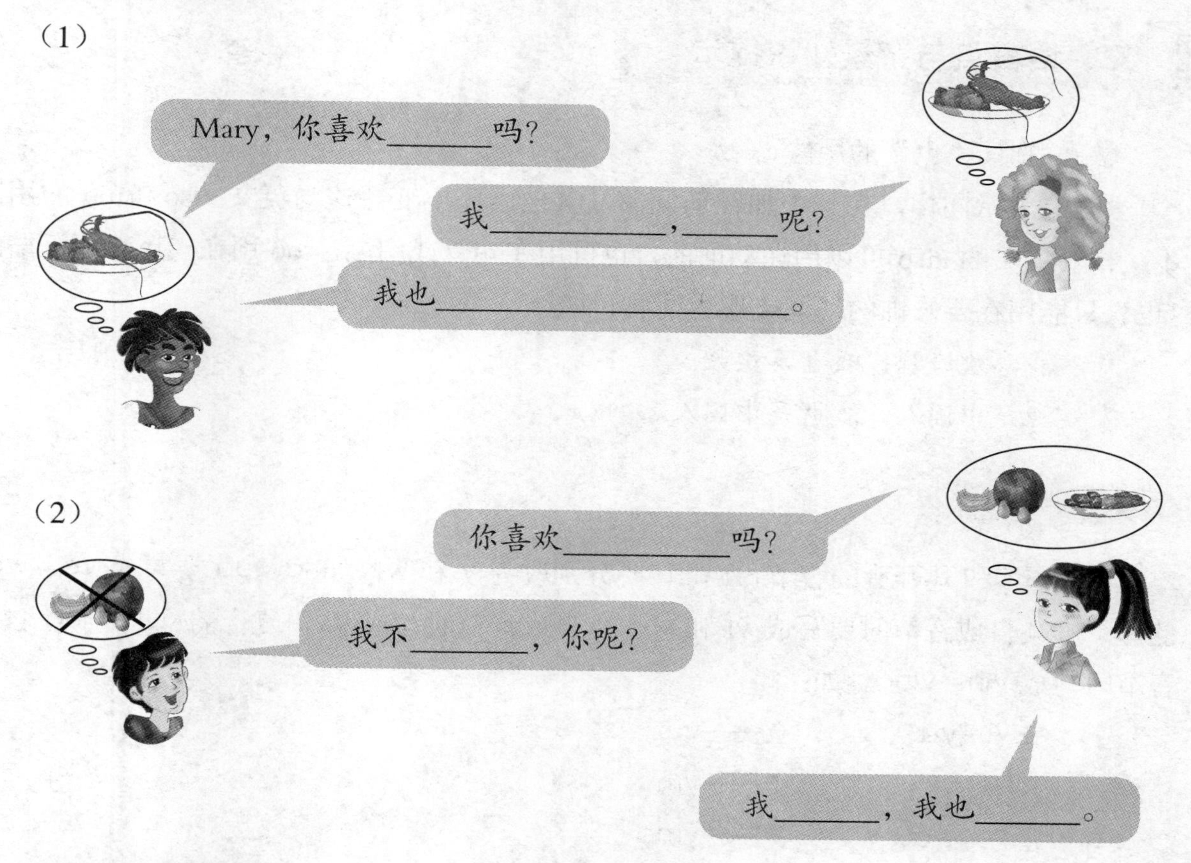

附：录音文本

练习2

（1）我吃面条儿，不吃米饭。

（2）我喜欢牛肉，也喜欢牛奶。

（3）Mike 喜欢海鲜，也喜欢菜。他不喜欢水果。

（4）哥哥不喝茶，他喜欢汽水，也喜欢咖啡。

* 课堂活动建议

信息传递：学生每一排或每一列为一组，老师给每组第一个人一张纸或卡片，上面写有一句话（老师事先准备好，可与本课主要句型有关或复习学过的内容）。每组第一个人自己读后要把这一信息通过耳语传给同组下一个同学，依次传下去，每组最后一个人把自己听到的句子写在纸上，朗读给大家听。最后与原句核对，看哪一组信息传递得又快又准确。

三、语言点与背景知识提示

（一）副词“也”的用法

“也”表示同样，在句中加在动词前，其他语序不变。这与英文 also 和 too 的用法不一样。英文的 also 可以用在动词前，也可用在句首或句尾，too 用在句尾，而汉语的“也”只能用在要修饰的动词或形容词前。如：

我喜欢海鲜，我也喜欢菜。

他是中国人，我也是中国人。

（二）语音

以韵母 i 和 u 开头的音节，i 和 u 要分别改为 y 和 w，如 ia、ua 要写成 ya、wa。韵母 i 和 u 自成音节时要写成 yi 和 wu, ü 自成音节时写成 yu，复合韵母 in、ing 自成音节时写成 yin、ying。如：

亚——yà　　鱼——yú

衣——yī　　音——yīn

娃——wá　　英——yīng

五——wǔ

（三）汉字的书写

汉字是方块字，每个字由不同的笔画组成。无论笔画多少，汉字都有一定的书写顺序，并应该按同样大小的方格书写，所谓一字一格。书写汉字时还要考虑汉字间架结构的适当比例，这样才能写出匀称美观的汉字。汉字横向书写时，从左写到右，并从上向下排列；纵向书写时，从上写到下，并从右向左排列。

（四）鱼

中国人喜欢鱼，“鱼”字的发音与“余”相同，代表富余和财富，所以逢年过节人们的餐桌上一般都有鱼。春节的时候人们喜欢贴一种传统的年画，常常是胖娃娃骑在一条红鱼身上，或是把鱼抱在怀里，取“年年有（鱼）余”之意。

Fish

Chinese people like fish because the pronunciation of the Chinese word for "fish" is the same as that for another word meaning wealth and surplus. As a dish served for every holiday, fish is a powerful and tasty symbol of good wishes. During the Spring Festival, traditional paintings (*nianhua*) are often pasted on the wall. Most *nianhua* have a fat baby riding or holding a red fish indicating the good wishes for the next year.

文化内容拓展

“舌尖上的中国”

中国是一个美食王国。中国菜种类丰富，讲究色、香、味、形俱佳。

由于中国地域辽阔，各地的地理、气候、物产、历史、风俗不同，人们的饮食习惯也各不相同，有“南米北面”“南甜北咸，东酸西辣”的说法。长期以来形成了各具地方特色的几大菜系，其中鲁菜、川菜、苏菜、粤菜被称为中国的“四大菜系”。

鲁菜，即山东菜。可以说是北方菜的代表。特点是清香、鲜嫩、味醇，十分讲究清汤和奶汤的调制，清汤色清而鲜，奶汤色白而醇。同时，鲁菜也擅长爆、烧、炸、炒，口味偏重。著名的菜品有糖醋鱼、葱爆羊肉、葱扒海参、锅塌豆腐等。

川菜，即四川菜。以麻、辣、鲜、香为特色，鱼香、红油、怪味、麻辣等不同口味变化多样。著名的菜品有鱼香肉丝、麻婆豆腐、宫保鸡丁、樟茶鸭等。

苏菜，即江苏菜。有制作精细、四季有别、浓而不腻、味感清鲜等特点。著名的菜品有狮子头、叫花鸡、松鼠桂鱼、盐水鸭等。

粤菜，即广东菜。以选料广泛，讲究鲜、嫩、爽、滑、浓为主要特点。代表菜品有烤乳猪、咕噜肉、蚝油牛柳、冬瓜盅、文昌鸡等。

A Bite of China

China is a kingdom of a great variety of exquisite cuisines which simultaneously focus on the color, smell, taste, and shape of the food. Due to China's vast territory, resulting in a great variety of geography, climate, natural resources, history, and customs, Chinese eating habits are very different throughout the country. It is said that people in the south like eating rice whereas people in the north like eating noodles. Other generalizations include southern people prefer sweet food while northern people prefer salty food, and people in the east like sour food while people in the west like spicy food. There are several local cuisines with distinct characteristics. The most famous, *Lu Cai* (Shandong cuisine), *Chuan Cai* (Sichuan cuisine), *Su Cai* (Jiangsu cuisine), and *Yue Cai* (Cantonese cuisine), are known as China's Four Big Cuisines.

Lu Cai, is characterized by its pleasant smell, freshness and mellow taste, is a typical representative of northern cuisine. This cuisine emphasizes soups: light and clear or milky and mellow. Shandong Cuisine is also famous for quick-frying, braising, deep-frying and sautéing with strong flavor. Well-known dishes include *Tangcu Yu*(sweet and sour fish), *Congbao Yangrou*(stir-fried lamb and green Chinese onions), *Congpa Haishen*(grilled green Chinese onions with sea cucumber) and *Guota Tofu*(sautéing Tofu) .

Chuan Cai, is notable for its hot, spicy, fresh, and savory dishes. Two popular flavors are *Yu-Shiang* (Sautéed with Spicy Garlic Sauce) and hot chili oil. Famous dishes include *Yu-Shiang Rousi*(Yu-Shiang shredded Pork), *Mapo Tofu* (stir-fried tofu in hot sauce), *Kung Pao Jiding*(spicy diced chicken with peanuts), and *Zhangcha Ya*(smoked duck with lotus-leaf-like pancake).

Su Cai is characterized by its fine cooking, thick but not greasy taste, and fresh flavor. It produces different dishes based on different seasons' vegetables. The famous dishes include *Shizitou*(large meatballs), *Jiaohua Ji* (roast chicken packed with lotus leaf and mud), *Songshu Guiyu* (sweet and sour mandarin fish), and *Yanshui Ya* (duck in salted spicy sauce).

Yue Cai has an extensive variety of ingredients which produce fresh, tender, smooth, and thick flavors. Famous dishes are roasted suckling pig, *Gulu Rou* (sweet and sour pork), *Haoyou Niurou* (beef with oyster sauce, white gourd soup), and *Wenchang Ji*(sliced chicken with chicken livers and ham).

学生用书第三单元“中国文化”页的六张图分别为：左上：中国传统早餐豆浆、油条和小笼包；中上：中国南方常见早餐烧麦；右上：中国云南一带人们爱吃的过桥米线；左下：西式早餐鸡蛋、牛奶、面包；中下：西式早餐果汁、燕麦面包；右下：西式早餐麦片牛奶、水果和果汁。

第三单元测验

1. 在听到的语音旁打√。

（1）zhī______　　chī______　　shī______　　rī______

（2）cǎ______　　sǎ______　　zǎ______

（3）yú______　　wú______

2. 听录音，按顺序标出序号。

______

______

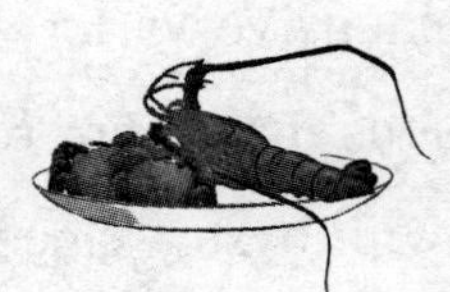
______

______

______

______

______

______

3. 看图说话。

参考词语：吃、喝、喜欢、不、也。

4. 说一说你喜欢吃什么？喝什么？

5. 朗读。

（1）早上好，爸爸、妈妈！
Zǎoshang hǎo, bàba、 māma!

（2）你吃什么？
Nǐ chī shénme?

（3）我要面包。
Wǒ yào miànbāo.

（4）我喝茶，你喝什么？
Wǒ hē chá, nǐ hē shénme?

（5）我喝咖啡，不喝茶。
Wǒ hē kāfēi, bù hē chá.

（6）他喜欢牛肉，也喜欢海鲜，你呢？
Tā xǐhuan niúròu, yě xǐhuan hǎixiān, nǐ ne?

6. 写汉字。

7. 翻译。

（1）把中文翻译成英文。

Nǐ yào shuǐguǒ ma?
① 你 要 水 果 吗？

Wǒ chī miàntiáor, wǒ bù chī mǐfàn.
② 我 吃 面条儿，我 不 吃 米 饭。

Māma hē niúnǎi, bù hē qìshuǐ.
③ 妈 妈 喝 牛 奶，不 喝 汽 水。

Tā xǐhuan hǎixiān, yě xǐhuan cài.
④ 他 喜 欢 海 鲜，也 喜 欢 菜。

（2）把英文翻译成中文。

① What do you want to eat?

② I want tea. What about you?

③ He likes China and he also likes the UK.

④ I drink coffee and he drinks coffee too.

第三单元测验部分答案

1. 在听到的语音旁打√。

（1）chī

（2）sǎ

（3）yú

2. 听录音，按顺序标出序号。

录音文本：

（1）咖啡　（2）米饭　（3）牛肉　（4）牛奶　（5）面包　（6）水果　（7）海鲜　（8）汽水

6. 写汉字。

茶，鱼，吃，牛肉，汽水，米饭，早上。

7. 翻译。

（2）把英文翻译成中文。

① 你吃什么？

② 我要茶，你呢？

③ 他喜欢中国，也喜欢英国。

④ 我喝咖啡，他也喝咖啡。

第四单元
学校生活

第十课　中文课

教学目标

交际话题： 谈课程表和自己学习的课程。

语 言 点： 星期一我有中文课。
星期一我没有法文课。

生　　词： 星期　中文　英文　法文
体育　课　没有

汉　　字： 文　星　课　法

语　　音： 复习 j、q、x，z、c、s，zh、ch、sh、r

一、基本教学步骤及练习要点

（一）导入：建议采用由学过的词语过渡到本课生词的方式。将课程名称联系起来理解、记忆：中国——中文，英国——英文，法国——法文。再加上“课”，组成本课除了“体育”之外的表示课程的词语。

（二）在提示的基础上引导学生初步熟悉生词，老师范读、领读生词表。

（三）做练习1，引导学生熟悉词语发音，建立词语发音和意义的联系。要求学生能够根据录音的内容作出反应，对应出词语的英文意思。可先听几遍，再开始做。

（四）做练习2，朗读词语和句子。本练习的第一部分关于日期的词语（星期一至星期六）在汉语表达中有规律、易接受，所以没有列入生词表。老师可以指着“课表”或日历带读这些词，引导学生了解生词“星期”，带上数字，就自然组成表达一周日期的六个生词。同时说明“星期日（天）”是个例外。

（五）做练习3，通过听的训练巩固学生对本课词语和句型的理解。

（六）通过下列两个表，具体展示本课的词语和句型。

表一：

星期一	中文课
星期二	法文课
星期三	英文课
星期四	体育课

表二：日期 + 某人 +（没）有 + 课程名称

星期一	Mary	（没）有	中文课
星期二	丽丽		法文课
星期三	我		英文课
星期四	Mike		体育课
……			……

（七）做练习4，可分组进行，引导学生从朗读对话过渡到根据提示进行表达。

（八）做练习5，巩固本课词语。

（九）指导学生复习第三单元的拼音练习，重点注意j、q、x，z、c、s 和 zh、ch、sh、r的区别，在此基础上让学生朗读语音练习7，并完成辨音练习8。还可根据学生水平适当拓展练习8，如：将练习中的实物和发音对应起来，扩大学生的理解性词汇。

（十）做练习9，写汉字。汉字的书写已经进行了9课，从本课起，除了老师在黑板示范，或选择电脑演示汉字外，应注意帮助学生归纳汉字笔顺和笔画。

（十一）根据学生的实际水平，选做教师用书的练习。

（1）练习3，有助于提高学生认读理解能力。

（2）练习4，结合一些以前的语言项目，如“我是……人”“我喜欢……”等句型，综合练习朗读、翻译。

附：录音文本

（一）练习1

① 中文　② 英文　③ 课　④ 法文

⑤ 星期　⑥ 体育　⑦ 没有　⑧ 中文课

（二）练习3

星期一我有体育课。星期二我有中文课。星期三我有法文课。星期四我有英文课。

星期五我有中文课。星期六我没有课。

（三）练习8

① 词典　② 十个　③ 下棋

④ 食指　⑤ 司机　⑥ 日历

二、练习与课堂活动建议

* 练习

（一）给词语配上拼音。

（1）星期	xīngqīliù
（2）星期一	méiyǒu
（3）星期二	xīngqīwǔ
（4）星期三	xīngqīsān
（5）星期四	xīngqīsì
（6）星期五	xīngqī'èr
（7）星期六	xīngqī
（8）没有	xīngqīyī

（二）根据Mary的课表判断对错。

	星期一	星期二	星期三	星期四	星期五
1	法文	中文	英文	Science	Art
2	IT	法文	英文	Science	中文
3	中文	Technology	Math	体育	Math
4	IT	Technology	Math	体育	法文
Lunch					
5	Art	History		体育	英文
6	Art	法文	Tutor	中文	Geography

（1）星期一 Mary 有英文课。（　　）
Xīngqīyī Mary yǒu Yīngwénkè.

（2）星期二 Mary 没有体育课。（　　）
Xīngqī'èr Mary méiyǒu tǐyùkè.

Xīngqīsān Mary méiyǒu Yīngwénkè.
（3）星期三 Mary 没有英文课。( )

Xīngqīsì Mary yǒu Zhōngwénkè.
（4）星期四 Mary 有中文课。( )

Xīngqīwǔ Mary méiyǒu Fǎwénkè.
（5）星期五 Mary 没有法文课。( )

（三）把中文句子和相应的英文连接在一起。

Xīngqīliù wǒ méiyǒu kè.
（1）星期六我没有课。

Xīngqīsān wǒ yǒu tǐyùkè.
（2）星期三我有体育课。

Tā xǐhuan Yīngwénkè.
（3）他喜欢英文课。

Tā shì Zhōngguórén.
（4）他是中国人。

Xīngqīsì wǒ méiyǒu Fǎwénkè.
（5）星期四我没有法文课。

Xīngqīyī tā yǒu Yīngwénkè.
（6）星期一他有英文课。

He is Chinese.

He likes English class.

I have P.E. on Wednesday.

He has English class on Monday.

I do not have French class on Thursday.

I do not have classes on Saturday.

（四）朗读和翻译。

Wǒ shì Mary, wǒ shì Yīngguórén, wǒ xǐhuan Zhōngwén. Xīngqīyī wǒ yǒu Zhōngwénkè,
我是 Mary，我是英国人，我喜欢中文。星期一我有中文课，

wǒmèimei méiyǒu Zhōngwénkè, tā yǒu Fǎwénkè. Tā xǐhuan Fǎwénkè. Xīngqīliù wǒmen
我妹妹没有中文课，她（she）有法文课。她喜欢法文课。星期六我们（we）

méiyǒu kè.
没有课。

＊ 课堂活动建议

（一）制作自己的课表。把能够用中文表达的课程都换成中文，其他仍可保留英文，并鼓励学生争取在一段时间内把所有的课程都换成中文。第一个完成的可以在教室或年级公告栏“发表”。

（二）游戏：制作一个正方体纸盒，每面写上一个课程名称或“没有课”。学生扔到哪一面就根据提示说一个句子，如“我有英文课。”“我有体育课。”等。可以逐渐

加大难度，要求学生根据实际情况说出某个日期，如“星期三我有法文课。”“星期六我没有课。”

三、语言点与背景知识提示

（一）汉语表达某个时间从事某项活动时，时间词语既可以出现在主语前，也可以出现在主语后，如：

星期一我有中文课。（时间词语在主语前）

我星期一有中文课。（时间词语在主语后）

本课为了便于老师指导和学生记忆，时间词语一律放在句首。英语时间词语一般放在句尾，有时放在句首，在教学中应提示学生注意。

（二）中国学校的课表在上课时间、科目等方面和英国学校不同。这里提供一张中国中学的课表，以供参考。学生如果想多了解一些中国中学生活，可以通过电子邮件与中国的中学生进行网上交流。

	星期一	星期二	星期三	星期四	星期五
1	外语	数学	政治	数学	外语
2	数学	外语	数学	外语	生物
3	体育	语文	地理	语文	数学
4	语文	历史	外语	语文	数学
5	自习	体育	信息技术	历史	劳动技能
午休					
6	生物	地理	音乐	体育	语文
7	劳动技能	政治	美术	地理	语文

Various aspects, such as timetables, times of classes, and subjects are different between Chinese and British schools. Here is a Chinese secondary school student’s timetable for your reference. If students are conducting e-mail exchanges with Chinese students, they will be better able to understand something of life at a Chinese secondary school.

	Mon.	Tues.	Wed.	Thur.	Fri.
1	Foreign Language	Math	Politics	Math	Foreign Language
2	Math	Foreign Language	Math	Foreign Language	Biology
3	Physical Education	Chinese	Geography	Chinese	Math
4	Chinese	History	Foreign Language	Chinese	Math
5	independent study	Physical Education	IT	History	Practical Work Skills
Break					
6	Biology	Geography	Music	Physical Education	Chinese
7	Practical Work Skills	Politics	Art	Geography	Chinese

第十一课　我们班

教学目标

交际话题： 谈论自己的班级和同学。

语 言 点： 我们班有二十五个学生。

我们班有十个男学生，十五个女学生。

数字表达：10以上，至少到25。

生　　词： 我们　班　男　女　学生　十一

二十　二十一

汉　　字： 男　女　学　生

一、基本教学步骤及练习要点

（一）导入：数字表达从1—10的复习开始，10以上的数字表达在汉语中规律性强：11 = 十 + 一；12 = 十 + 二；21 = 二十 + 一；22 = 二十 + 二，以此类推，引导学生掌握。注意提示19、20、21的转换。

（二）领读生词，熟悉词语的发音和意义。提示重点字词“男”“女”的字音和字形。

（三）做练习1、练习2，让学生建立一些汉语数字表达的概念，进一步加深对“数量词 + 名词”的了解。

（四）做练习3，要求学生听录音，抓住句子中的主要信息——各班人数。

（五）讲解本课的基本句型：某处 + 有 + 人。例如：我们班有二十五个学生。

（六）做练习4，可以由教师领读，逐步过渡到学生自己在两人小组中表达。也可以鼓励学生用一些自己设想的数字来扩大表达范围。

（七）做练习5至7。练习5是生词与意义的训练，生词都带有拼音。练习7是整句翻译练习，通过翻译全面掌握本课词语和句型。

（八）做练习8，写汉字。与前课一样，老师除了在黑板示范，或选择电脑演示汉字外，应注意帮助学生归纳汉字笔顺和笔画。

（九）在掌握本课内容的基础上，根据学生水平，可以选做教师用书上的练习。

（1）练习2结合了一些以前学过的词语，答题难度也略有增高。

（2）练习3基本上是自由表达练习，可以鼓励学生说出任何与数字有关的句子，尽量把以前学过的表示人、动物、水果的词语都用上。

（3）练习5内容涉及到前一单元学习的生词和句型，可以帮助学生复习巩固近期所学的内容。

附：录音文本和答案

（一）练习1

2，4，6，8，10，11，13，15，17，19，20，21，25。

（二）练习3

我是Mary，我们班有21个学生，12个女学生，9个男学生。

我是Jim，我们班有22个学生，11个女学生，11个男学生。

我是Ann，我们班有23个学生，13个女学生，10个男学生。

二、练习与课堂活动建议

＊ 练习

（一）汉字对应拼音。

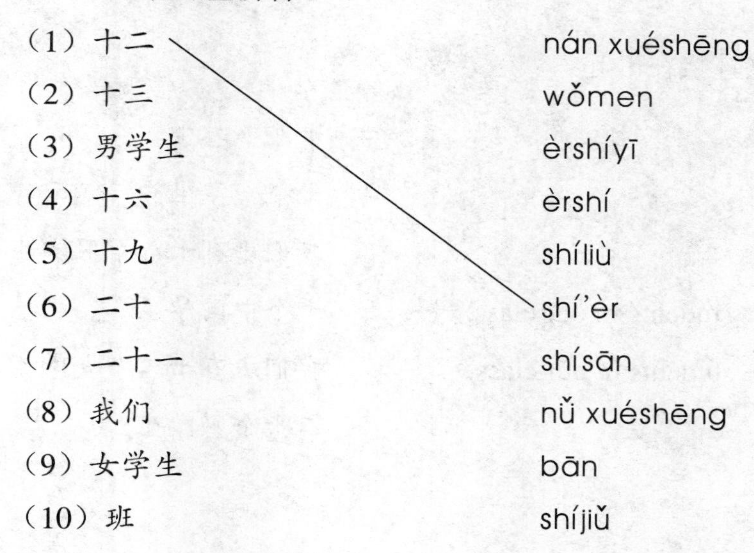

（1）十二	nán xuéshēng
（2）十三	wǒmen
（3）男学生	èrshíyī
（4）十六	èrshí
（5）十九	shíliù
（6）二十	shí'èr
（7）二十一	shísān
（8）我们	nǚ xuéshēng
（9）女学生	bān
（10）班	shíjiǔ

（二）听录音填空。

Mary yǒu gè píngguǒ.

（1）①Mary 有 ____ 个 苹 果。

Jim yǒu gè píngguǒ.

② Jim 有 ____ 个 苹 果。

Ann yǒu gè píngguǒ.

③ Ann 有 ____ 个 苹 果。

Mary: Wǒmen bān yǒu gè xuéshēng.
（2）① Mary：我们班有＿＿＿＿＿个学生。

Jim: Wǒmen bān yǒu gè xuéshēng.
② Jim：我们班有＿＿＿＿＿个学生。

Ann: Wǒmen bān yǒu gè xuéshēng.
③ Ann：我们班有＿＿＿＿＿个学生。

（三）分小组，用下列数字说句子。

十二	十四	二十三	二十	十七	二十二	十八	十九
十三	十五	二十五	二十四	十六	十一	二十一	一

例如：

Wǒmen bān yǒu shí'èr gè nǚ xuéshēng.
（1）我们班有十二个女学生。

Wǒmen bān yǒu yí gè Zhōngguó lǎoshī.
（2）我们班有一个中国老师。

Wǒ yǒu shíyī gè miànbāo.
（3）我有十一个面包。

（四）把英文和相应的中文连接在一起。

（1）ten female students	十九个学生
（2）twenty male students	十个女学生
（3）nineteen students	我们班有十八个男学生。
（4）There are twelve female students in our class.	十个中国学生
（5）There are eighteen male students in our class.	我们班有十二个女学生。
（6）ten Chinese students	二十个男学生

（五）朗读并翻译句子。

Wǒmen bān yǒu èrshíwǔ gè xuéshēng. Shí gè nánxuéshēng, shíwǔ gè nǚ xuéshēng.
（1）我们班有二十五个学生。十个男学生，十五个女学生。

Xīngqīyī wǒmen bān yǒu Zhōngwénkè, yě yǒu tǐyùkè. Wǒmen xuéxiào yǒu èrshíwǔ gè bān.
（2）星期一我们班有中文课，也有体育课。我们学校有二十五个班。

附：录音文本和答案

（1）① 我是 Mary，我有二十一个苹果。

② 我是 Jim，我有二十五个苹果。

③ 我是 Ann，我有十九个苹果。

（2）① 我是 Mary，我们班有二十个学生。

② 我是 Jim，我们班有二十三个学生。

③ 我是 Ann，我们班有二十五个学生。

* 课堂活动建议

2~4 人组成一个小组，小组中每位学生各画一张名为《我们班》的“集体照”，要能看出多少男学生，多少女学生。然后向其他同学展示“照片”，看的人要帮他 / 她描述“照片”上的情况。

例如：展示 14 男、10 女的“照片”，则应说出：

我们班有二十四个学生。

我们班有十四个男学生，十个女学生。

大家轮流描述他人画的“照片”。

三、语言点与背景知识提示

（一）汉语数字的表达

汉语数字的表达很有规律。本课可以引导学生基本掌握汉语100以内数字的表达。但是考虑到教学容量，这里没有一一列出，只是让学生基本了解汉语数字表达规律。对于一些学习能力比较强的学生，可以鼓励他们按照规律类推到99。

（二）汉语表示存在的句型：某处 ＋ 有 ＋ 人 / 事物。

在第六课已经介绍了“某处 ＋ 有 ＋ 事物”。如：

我家有五个房间。

本课学习的表示存在的句型为：某处 ＋ 有 ＋ 人。如：

我们班有二十个学生。

我们班有三个中国人。

第十二课　我去图书馆

教学目标

交际话题： 谈课外活动。
询问某人去哪儿。

语 言 点： 你去哪儿？
我去图书馆。

生　　词： 去　运动场　图书馆　教室　礼堂　体育馆

汉　　字： 去　图　书　馆

一、基本教学步骤及练习要点

（一）导入：指导学生了解学校的几个相关场所，可以用图展示，然后带读生词表，引导学生熟读、记忆。

（二）做练习1，听基本词语，熟悉表示处所的词语。

（三）做练习2，通过朗读熟悉“去＋处所”的搭配，并对本课句型有所了解。

（四）做练习3，通过听录音了解本课的基本句型：

（1）某人＋去＋哪儿？如：

你去哪儿？

（2）某人＋去＋某处所。如：

我去图书馆。

（五）讲解本课基本句型，为口头表达做准备。提示：汉语中含有疑问代词的疑问句的语序和陈述句一样，只要把疑问词放在提问的部分就可以了。教学中可以从陈述句导入，如：

他去教室。　　　　→ 他去哪儿？

Mary 去图书馆。　→ Mary 去哪儿？

（六）做练习4，可以先让学生通过朗读第1、2组对话，熟悉句型，然后过渡到第3、4组，根据图示进行表达。回答时要求先用否定形式，再用肯定形式。如：“我不去教室，我去图书馆。”应指导学生通过这个练习熟悉“去”的肯定与否定形式。课本上的练习完成后，老师可提问学生，要求用同样的形式回答，如问：“你去图书馆吗？”

要求学生回答："我不去图书馆，我去……"

（七）做练习5，进一步掌握词语的基本搭配形式。

（八）做练习6，通过翻译综合性地理解本课语言学习内容。

（九）做练习7，写汉字。

（十）根据学生水平和掌握情况选做教师用书中的练习。

（1）练习 1—4是拼音、听力、认读练习，练习3、4略微增加了一些难度，并重现了一些学过的词语，有助于指导学生进一步理解句型，并巩固丰富词语。

（2）练习 5 练习口头表达，在课堂上还可以扩展，鼓励学生自己画类似的图，在小组中进行这类训练。

（3）练习6是综合性的练习，结合了一些学过的词语和句型进行练习。

附：录音文本

（一）练习1

①教室　②礼堂　③运动场　④图书馆　⑤体育馆

答案：②①④⑤③

（二）练习3

（1）A：Mary，你去哪儿？　　B：我去图书馆。

（2）A：Jim，你去哪儿？　　B：我去运动场。

（3）A：丽丽，你去哪儿？　　B：我去教室。

（4）A：小海，你去教室吗？　　B：我不去教室，我去礼堂。

（5）A：Mike，你去运动场吗？　　B：我不去运动场，我去体育馆。

二、练习与课堂活动建议

*** 练习**

（一）给下列词语注上拼音。

去英国	去上海	去北京	去中国
去礼堂	去教室	去图书馆	去香港

（二）听录音，把每个人的活动用线连接起来。

Mary	goes to Shanghai
Ann	goes to the library
Lìli	goes to Hong Kong
Jim	goes to the classroom
Mike	goes to the assembly hall
Xiǎohǎi	goes to the sports ground

（三）写出对应的汉语拼音。

go to Shanghai	
go to the library	
go to Hong Kong	
go to the classroom	
go to the assembly hall	
go to the sports ground	

（四）写上对应的号码。

go to the classroom
go to the gym
go to the sports ground
go to the assembly hall
① go to school
go to the library

①去学校
②去运动场
③去教室
④去图书馆
⑤去礼堂
⑥去体育馆

qù yùndòngchǎng
qù lǐtáng
qù jiàoshì
qù túshūguǎn
qù tǐyùguǎn
① qù xuéxiào

（五）看图回答问题。

（1）爸爸去哪儿？

（2）哥哥去哪儿？

（3）姐姐去哪儿？

（4）妈妈去哪儿？

（六）朗读并翻译。

（1）Wǒ yǒu tǐyùkè. Wǒ qù yùndòngchǎng.
我有体育课。我去运动场。

____

（2）Jim méiyǒu tǐyùkè, tā yǒu Zhōngwénkè, tā qù jiàoshì, tā xǐhuan Zhōngwén.
Jim没有体育课，他有中文课，他去教室，他喜欢中文。

____

（3）Xīngqīliù gēge méiyǒu kè, tā qù tǐyùguǎn. Tǐyùguǎn hěn dà.
星期六哥哥没有课，他去体育馆。体育馆很大。

____

附：录音文本

（二）Mary去图书馆。　　Jim去运动场。　　丽丽去教室。

Mike去香港。　　Ann去上海。　　小海去礼堂。

* 课堂活动建议

让学生2~3人一组，每个人用图来表示自己想做的一件事，如看书、借书、跑步、打球、做作业、登上长城等。出示后，小组成员根据活动判断他 / 她要去的地方，进行口头表达，如："他去图书馆，他去教室，他去中国。"等。

三、语言点与背景知识提示

（一）动词"去"的用法比较丰富，本课学习的是其中最基本、最常用的句型：某人＋去＋某处所。例如：

我去图书馆。

他去教室。

（二）汉字的造字法

一般来说，汉字有象形、指事、会意、形声四种造字法。用这四种方法创造出来的汉字分别为象形字、指事字、会意字和形声字。象形字，如"月、口"；指事字，如"上、下"；会意字，如"休、明"；形声字，如"爸、妈"。本书将在以下几个单元中分别介绍这四类汉字。

文化内容拓展

中国的中学教育

中国实行九年义务教育制度，小学六年和初中三年属于义务教育范围，高中则是非义务教育。目前十二年义务教育已成为国家教育发展的目标，并且正在一些经济较为发达的地区试行。

在中国，中学课程主要包括语文、政治、数学、英语、物理、化学、历史、地理、生物、音乐、体育、信息技术等。初中、高中学习的主要科目基本相同，但高中后半阶段则实行文理分科，为学生参加高考、报考大学做准备。这个阶段，学生可以根据自己的志向选择文科或者理科。分科后语文、数学、英语为共同的核心科目，文科生选修政治、历史、地理等科目；理科生则选修物理、化学、生物等科目。

中学是学生知识全面发展的时期，由于中国大学主要通过全国统一高考的成绩录取学生，家长和学生都很重视中学阶段，尤其是高中阶段的学习。学生课后及假日除了完成各门功课的作业之外，不少人会根据自己的需要报名参加社会上各种类型的课外辅导班。

中国的中学也十分注重开展国际交流活动，有些中学与国外中学结成姊妹学校，开展多种形式的交流活动。学生有机会参加国际化的学习与文化体验活动，从而更多地了解不同的文化，开阔自己的视野。有些教学条件好的中学还开设了与国外大学接轨的高中课程。如“剑桥国际高中课程”（General Certificate of Education Advanced Level），学生可以在自己的学校学习英国的课程，为将来到海外求学深造打下基础。

Chinese Secondary Education

China currently implements a nine-year compulsory education, which includes six years of elementary education and three years of junior high school education. The high school education does not belong to the category now. However, the goal of achieving twelve-year compulsory education inculding high school education is under trial in some developed areas.

In China, the secondary school curriculum is generally comprised of Chinese language, politics, mathematics, English, physics, chemistry, history, geography, biology, music, sports, and information technology. The core subjects in junior high school and high school are basically the same, but in the second year of high school students must choose to focus on either liberal arts or sciences and so prepare for the College Entrance Examination. After choosing a specialty, the core subjects of Chinese language, mathematics, and English remain the same for all students. Students in the liberal arts division must also study politics, history, and geography; while students in the sciences division must study physics, chemistry, and biology.

It is though secondary education that students acquire comprehensive knowledge in their chosen division in preparation for university. Chinese universities admit students according to their scores on the unified College Entrance Examination therefore both students and parents put great emphasis on secondary education, especially high school education. Besides compeleting homework from school, students usually have to go to various remedial classes run by social organizations after school or during holidays.

In China, many middle schools also emphasize international exchange activities. The sister schools have carried out various programs. Through such intiatives, students have the opportunity to participate in international studies and experience cultures, helping them understand different cultures, broaden their horizon, and make international friends. Some better-equipped schools create high school curriculums aligned with those of foreign schools, such as the General Certificate of Education Advanced Level, allowing Chinese students to study at high foreign standards without leaving home and paving the way for future studies abroad.

学生用书第四单元“中国文化”页中三张图分别展现了中国中学生的部分学校生活：左图：初中学生正在上课；中图：初中学生在学校运动会上；右图：高中学生在上实验课。

第四单元测验

1. 听录音填空。

	Mon.	Tues.	Wed.	Thur.	Fri.
Xiǎohǎi	Chinese	P.E.			
Mary					
Jim					
Mike					
Lìli					

2. 说一说。

（1）模仿例句介绍你们班。

我们班有二十一个学生，十一个男学生，十个女学生。

二十一	èrshíyī	twenty-one
我们	wǒmen	we
班	bān	class
男	nán	male
女	nǚ	female
学生	xuéshēng	student

（2）模仿例句介绍你的课程。

星期一我有英文课。

星期二我有……

星期三……

……

我喜欢……

中文	Zhōngwén	Chinese (language)
英文	Yīngwén	English (language)
法文	Fǎwén	French (language)
体育	tǐyù	P.E.

3. 给词语注上拼音。

tǐyùguǎn　yùndòngchǎng　lǐtáng　méiyǒu　wǒmen
tǐyù　Zhōngwén　xuéshēng　bān　Yīngwén

体育馆	运动场	礼堂	我们	班
英文	体育	中文	没有	学生

4. 英汉对应。

I have Chinese class on Monday.
eleven male students
He does not have class on Saturday.
There are eighteen students in our class.
go to the sports ground
go to the library

去运动场
去图书馆
星期一我有中文课。
十一个男生
星期六他没有课。
我们班有十八个学生。

5. 根据拼音写汉字。

（1）Zhōngwénkè　Yīngwénkè
中（　　）　（　　）

（2）xīngqī　túshūguǎn
（　）期　（　　）

（3）Wǒmen bān yǒu èrshí gè xuéshēng.
我们 班 有 二十 个（　　）。

（4）nán xuéshēng　nǚ xuéshēng
（　　）（　　）

6. 把中文翻译成英文。

Wǒ shì Yīngguórén, wǒ xǐhuan Zhōngwén, xīngqīsān wǒ yǒu Zhōngwénkè.

（1）我是英国人，我喜欢中文，星期三我有中文课。

____

Xīngqīsān wǒmen yǒu tǐyùkè, wǒmen qù yùndòngchǎng.

（2）星期三我们有体育课，我们去运动场。

____

Xīngqīliù wǒ méiyǒu kè, wǒ qù túshūguǎn.

（3）星期六我没有课，我去图书馆。

____

Wǒmen bān yǒu èrshí gè xuésheng, shíyī gè nán xuésheng, jiǔ gè nǚ xuésheng.

（4）我们班有二十个学生，十一个男学生，九个女学生。

____

第四单元测验部分答案

1. 听录音填空。

录音文本：

我是小海，星期一我有中文课，星期二我有体育课，星期五我有法文课。

我是Mary，星期二我有体育课，星期三我有中文课，星期四我有英文课。

我是Jim，星期一我有英文课，星期四我有法文课，星期五我有体育课。

我是Mike，星期一我有法文课，星期二我有中文课，星期三我有体育课。

我是丽丽，星期三我有英文课，星期四我有法文课，星期五我有体育课。

答案：

	Mon.	Tues.	Wed.	Thur.	Fri.
Xiǎohǎi	Chinese	P.E.			French
Mary		P.E.	Chinese	English	
Jim	English			French	P.E.
Mike	French	Chinese	P.E.		
Lìli			English	French	P.E.

3. 给词语注上拼音。

tǐyùguǎn	yùndòngchǎng	lǐtáng	wǒmen	bān
体育馆	运动场	礼堂	我们	班
Yīngwén	tǐyù	Zhōngwén	méiyǒu	xuéshēng
英文	体育	中文	没有	学生

4. 英汉对应。

I have Chinese class on Monday.	去运动场
eleven male students	去图书馆
He does not have class on Saturday.	星期一我有中文课。
There are eighteen students in our class.	十一个男生
go to the sports ground	星期六他没有课。
go to the library	我们班有十八个学生。

5. 根据拼音写汉字。

（1） Zhōngwénkè　　Yīngwénkè

中（文课）（英文课）

（2） xīngqī　　túshūguǎn

（星）期　　（图书馆）

（3） Wǒmen bān yǒu èrshí gè xuéshēng.

我们班有二十个（学生）。

（4） nán xuéshēng　　nǚ xuéshēng

（男学生）　（女学生）

第五单元
时间和天气

第十三课 现在几点

教学目标

交际话题：问钟点。
　　　　　谈论要去的地方。
语 言 词：现在几点？
　　　　　现在五点半。
生　　词：现在　几　点　半
汉　　字：现　几　点　半

一、基本教学步骤及练习要点

（一）导入：让学生看句型图，猜猜本课内容是什么。说钟点的时候需要会说1—12的数字，所以先复习1—12的数字。

（二）做练习1，目的是听懂整点和半点的时间表达。

（三）做练习2，目的是通过朗读了解本课句型。

（四）做练习3，听录音，根据内容依次在钟表上画出指针。

（五）做练习4，目的是掌握问时间和说明时间的汉语表达。准备若干张钟表图片，打乱顺序，老师随便抽取。学生问“现在几点？”然后别的学生根据图片用“现在……”回答。根据学生说话的情况，有重点地多展示其中的几张，比如“四”和“十”的发音比较难，“两”比较特殊，以及其他学生容易犯错的数字。

（六）做练习5，认读。先做连线练习，把相应的汉字和英文用线连起来。注意“几”和“儿”的区别。可用词语卡片做“猜字”或“猜词”练习。

（七）做练习6，翻译。

（八）做练习7，写“现、几、点、半”。老师先在黑板上示范，学生用手在空中跟着写。然后让学生数笔画。最后复印田字格纸，让学生自己写。

（九）根据学生水平，可选做教师用书中的练习。

（1）练习1根据钟表说出时间。练习目的是进一步练习除整点和半点以外的时间表达，并学习25—60的数字。

（2）练习2根据图示进行对话。练习目的是巩固本课句型，并复习“你去哪儿？”和“吃饭、喝茶、图书馆、教室”等词语。

附：录音文本和答案

（一）练习1

①一点　②七点　③四点　④两点

⑤十点半　⑥五点半　⑦十二点半　⑧十一点半

答案：①④③②

⑥⑧⑤⑦

（二）练习3

（1）现在几点？

现在三点半。

（2）现在几点？

现在九点半。

（3）现在几点？

现在十二点半。

（4）现在几点？

现在六点半。

二、练习与课堂活动建议

（一）根据钟表说出时间。

（二）根据图示完成对话。

（1）A：现在几点？

B：现在________。

A：你去哪儿？

B：我去________。

（2）A：现在________？

B：现在________。

A：你__________？

B：我__________。

（3）A：____________？

B：____________。

A：____________？

B：____________。

（4）A：____________？

B：____________。

A：____________？

B：____________。

（三）在空格里用汉字填写时间，然后朗读。

（1）我早上________吃饭，我喜欢吃面包。

（2）我________去教室，我喜欢中文课。

（3）我________去图书馆，我喜欢看书。

（4）我________喝咖啡，我不喝茶。

三、语言点与背景知识提示

（一）数量词作谓语

数量词可以直接作谓语，在这类句子里没有动词。比如：

现在五点。

今天十二号。

他三十四岁。

苹果五块（一斤）。

每人一张。

（二）几

一般情况下，“几”表示十以内的数字，而且后面一定要有量词。比如：

小朋友，你几岁了？

你家有几口人？

问“十”以上的数字用“多少”，后面常常不带量词。比如：

这件衣服多少钱？

这个学校有多少（个）学生？

在答案明显是十以上数字的问题里不能用“几”。比如：

× 老师，您几岁了？

但在说话人没有预想到回答的时候用“几”和“多少”都可以。比如：

这种苹果多少钱一斤？（五块）

你们班有几个人？（二十多个）

（三）时间的其他表达

除了本课学习的表达法，还可以用其他方法表达时间。

1 : 15　　一点一刻

1 : 30　　一点三十

1 : 45　　一点三刻　　　差一刻两点

（四）日晷（guǐ）

古代的中国人曾经用日晷来测定时间，一般是在有刻度的盘子中央装一根与它垂直的棍。阳光照射下，棍的影子投射到盘子的刻度上，根据刻度的指示就可以知道时间了。

Sundials

In ancient China, people used sundials to determine the time. Typically, a sundial is a disc marked at regular intervals with a pole inserted vertically through the center. The shadow cast by the pole as the sun crosses the sky aligns with the marked intervals, making it possible to tell the time.

第十四课　我的生日

教学目标

交际话题：谈论时间——月、日。
谈论生日和年龄。

语 言 点：你的生日是几月几号？
我的生日是一月二十四号。
我十四岁。

生　　词：的　我的　生日　月　号
岁　你的

汉　　字：日　月　号　岁

一、基本教学步骤及练习要点

（一）导入：让学生说说他们的生日是几月几号，过生日的时候怎么庆祝。

（二）做练习1，按照录音顺序在相应的日期旁边标出号码。

（三）做练习2，朗读。

（四）做练习3，按照录音内容把人物和生日连起来，然后在线上写出岁数。

（五）做练习4，两人对话，互相问生日。告诉学生：汉语在表达日期的时候很方便，在数字后面加上"月""号"就可以了。任意说几个日期，鼓励学生自己表达。

（六）做练习5，把词语和相应的英文用线连起来。练习目的是认读本课生词。先做连线练习，然后用生字卡片或词语卡片做"猜字"或"猜词"练习。

（七）做练习6，朗读并翻译。

（八）做练习7，写"日、月、号、岁"。

（九）根据学生水平，可选做教师用书中的练习。

练习1中，学生两人一组，甲根据自己的心意把右栏中的礼物分配给左栏里的人，乙听懂什么礼物分给谁，用拼音记下来或画出来，甲只能说，不能用其他提示。然后乙根据记录告诉丙，丙记录。如此换两三个人，练习做完后看看礼物分对了没有。

附：录音文本和答案

（一）练习1

① 六月　② 九月　③ 一月　④ 十二月

⑤ 八号　⑥ 二十号　⑦ 十四号　⑧ 二十四号

答案：③①②④

⑤⑦⑥⑧

（二）练习3

（1）Jim，你的生日是几月几号？

我的生日是八月七号，我十五岁。

（2）明明，你的生日是几月几号？

我的生日是六月二十五号，我十三岁。

（3）小红，你的生日是几月几号？

我的生日是十二月三号，我十岁。

（4）Ann，你的生日是几月几号？

我的生日是四月十号，我十六岁。

二、练习与课堂活动建议

* 练习

（一）分派礼物。

小红的哥哥	书
Jim的姐姐	猫
明明	茶
丽丽	狗
Ann的弟弟	咖啡
小龙	水果

（二）学习“年”的用法。

（1）说出下面的年份：

2014年　1999年　1949年　1867年　1325年

（2）说出下面的日期（月/日/年）：

7/15/1997　8/27/1936

9/24/1975　10/4/2016

* **课堂活动建议**

让学生制作生日贺卡，教学生在贺卡上写“生日快乐”。

三、语言点与背景知识提示

（一）助词“的”

汉语的定语和中心语中间有的时候要用结构助词“的”。比如：

我的生日　你的老师

有的时候不用，比如数量短语作定语时，后面不能用。比如：

二十五个学生　五个房间

人称代词后面的中心语是表示亲属关系和集体单位的名词时，可用可不用。比如：

我（的）爸爸　　我们（的）班　　你们（的）学校

（二）汉语日期的表达

在表达日期时，中国人习惯从大到小，先说年，后说月，再说日。比如1975年8月1日。这种思维习惯还表现在说地址的时候，先说整体的，再说具体的。比如：

北京市海淀区学院路15号3号楼108房间

Expressing Dates in Chinese

When expressing the date, Chinese people typically go from big to small: they first say the year, then the month, followed by the day. For example, 1975 *nian* (year) 8 *yue* (month) 1 *ri* (date). This method follows the Chinese tradition of putting the general before the specific. For example, in the address Běijīng Shì Hǎidiàn Qū Xuéyuàn Lù shíwǔ hào sān hào lóu yāo líng bā fángjiān it lists the city, district, road, building number, floor, and then the room number.

（三）中国人庆祝生日

在民间，孩子出生后满一个月的时候，家人要为他举办庆祝活动，宴请亲朋好友，亲朋好友也会送些表示吉祥的小礼物给孩子，比如长命锁、手镯等等，这样的活动有时也在孩子满一百天的时候举行。此后过生日的时候，传统的食品是长寿面、寿桃。老人过生日的时候逢“五”或“十”，庆祝活动会隆重一些，家人或朋友送的礼物可能是工艺品，比如上面有松柏、仙鹤、寿字、寿星等图案的画儿，或是写有祝词的书法作品，还有补品、酒等等。

Chinese People Celebrating Birthdays

When a child is one month old, it is customary for the family to hold a celebration, often inviting close friends and relatives to dinner. These friends and relatives may give the child some small gifts to bring good luck and longevity such as long-life lock(a traditional lock-shaped necklace made by silver or gold), necklace, or bracelets. Families may also hold this kind of celebration when a child reaches one hundred days old. For all later birthdays, the traditional foods are longevity noodles and peach-shaped birthday cake. For the elderly, their birthdays generally become more cereonious every five or ten years. Gifts given by family and friends may include craftwork or perhaps a painting. On the gifts are usually images of cypress trees, red-crowned cranes, the Chinese character“寿”(longevity), and the god of longevity, or there may be calligraphy offering good wishes. Health tonics or wine are also common gifts.

（四）干支和生肖

古代中国人拿十天干和十二地支相配，共配成六十组，用来表示年、月、日的次序，周而复始，循环使用。干支最初用来纪日，后来多用于纪年，现在中国的农历年份还在使用干支。

十天干是：甲（jiǎ），乙（yǐ），丙（bǐng），丁（dīng），戊（wù），己（jǐ），庚（gēng），辛（xīn），壬（rén），癸（guǐ）。

十二地支是：子（zǐ），丑（chǒu），寅（yín），卯（mǎo），辰（chén），巳（sì），午（wǔ），未（wèi），申（shēn），酉（yǒu），戌（xū），亥（hài）。

干支纪年如“甲子年”“乙丑年”“丙寅年”等等。

人们又用十二种动物来代表十二地支，用来记人的出生年，这十二种动物是：（子）鼠、（丑）牛、（寅）虎、（卯）兔、（辰）龙、（巳）蛇、（午）马、（未）羊、（申）猴、（酉）鸡、（戌）狗、（亥）猪。

The Heavenly Stems, Earthly Branches, and Chinese Years

In ancient times, people used to match together the Ten Heavenly Stems with the Twelve Earthly Branches. Together they are arranged in sixty pairs, symbolizing the cycle of years, months and days repeated in a circle. The Heavenly Stems and Earthly Branches were initially used to record days. Later they were used to record years. Today, the traditional Chinese lunar calendar still uses these signs.

The Ten Heavenly Stems are jiǎ, yǐ, bǐng, dīng, wù, jǐ, gēng, xīn, rén, guǐ.

The Twelve Earthly Branches are zǐ, chǒu, yín, mǎo, chén, sì, wǔ, wèi, shēn, yǒu, xū, hài.

The Heavenly Stems and Earthly Branches are combined to mark the years: jiǎzǐ, yǐ-chǒu, bǐngyín etc.

Chinese people also use twelve animals to represent the twelve Earthly Branches, each assigned to a person's year of birth based on a twelve-year cycle. These animals are:

(zǐ) rat (chǒu) ox (yín) tiger (mǎo) rabbit (chén) dragon (sì) snake

(wǔ) horse (wèi) sheep (shēn) monkey (yǒu) rooster (xū)dog (hài) pig

第十五课　今天不冷

教学目标

交际话题：谈论天气。
谈论时间——今天和昨天。
语 言 点：昨天很冷。
今天不冷。
生　　词：昨天　冷　今天　热
汉　　字：今　天　冷　热

一、基本教学步骤及练习要点

（一）导入：上一课学习了生日是几月几号。说时间的时候，常常会用到“今天、昨天”等等，所以本课学习的是“今天、昨天”和天气情况。通过领读学习生词，并了解其意义。

（二）做练习1，听录音，按照内容在相应的空格里做标记。练习目的是听懂“昨天”“今天”，同时复习课程名称。

（三）做练习2，朗读，练习目的是了解句型，并知道“冷、热”的说法。

（四）做练习3，听录音，把听到的内容填写在空格内。做练习之前，老师可以带学生先说几遍“冷、热、不冷、不热”。

（五）做练习4，按照图示说出天气情况。老师先带领学生完成对话练习，再扩展到师生就某个城市的天气情况做问答练习。老师做一个示范，用英语问：“伦敦的天气怎么样？”用汉语回答：“昨天冷，今天不冷。”老师用英语问某些城市的天气怎么样，比如“北京、上海”等，城市名可用英语说。

（六）做练习5，把中文和相应的英文用线连起来。

（七）做练习6，朗读并翻译句子。

（八）做练习7，语音练习。

这个绕口令主要练习r的发音。老师念，并且翻译意思，学生在拼音上加声调。老师让学生区别汉语和英语中的r，汉语发音时嘴唇平展，英语发音时嘴唇收圆。

（九）做练习8，写“今、天、冷、热”。

附：录音文本和答案

（一）练习1

（1）昨天有中文课，今天没有中文课。

（2）昨天没有法文课，今天有法文课。

（3）昨天没有英文课，今天有英文课。

（4）昨天有体育课，今天没有体育课。

答案：

	中文课	法文课	英文课	体育课
昨天	√	×	×	√
今天	×	√	√	×

（二）练习3

北京：昨天不冷，今天冷。

上海：昨天很热，今天不热。

香港：昨天不热，今天热。

二、练习与课堂活动建议

* 练习

（一）朗读并模仿会话。

（二）完成下面的对话。

A：今天是几月几号？

B：今天是________________。

A：________________星期几？

B：______________________。

A：今天是星期二吗？

B：______________________。

A：今天是你的生日吗？

B：______________________。

* **课堂活动建议**

让学生准备一些小纸片，分别在纸片上写上两组不同意义的词语的拼音：

1. 人或动物——比如“我”“鱼”
2. 日期——比如“今天”“× 月 × 号”
3. 时间——比如“早上”“× 点”
4. 地点——比如“在家”“在运动场”
5. 动作——比如“吃”“看”“叫”
6. 人、动物或东西——比如“爸爸”“猫”“书”

每人共写12张，把所有纸片按意义分装在6个盒子里，依次让学生分别从6个盒子任意抽出6张纸片，按上面号码的顺序排好，读一遍。

老师帮助学生从词到句了解这个超长句子的意思，必要时可以翻译成英语，看看哪个句子最有趣，比如“鱼今天八点在上海吃猫”。

三、语言点与背景知识提示

（一）“不”的变调

“不”在一声、二声、三声字的前面是原调，比如：

一声：不听　　不说　　不吃　　不喝

二声：不学　　不难　　不来　　不行

三声：不好　　不喜欢　　不冷　　不小

“不”在四声的前面变成二声。比如：

四声：不热　不大　不是　不看　不去　不要

（二）象形字

用象形的方法造出的汉字是象形字。象形是最古老、最基本的汉字造字法，就是依照物体的轮廓和主要特点，用线条画出这个物体的形状。许多描述具体事物的字都属于这类字，如“日、月、山、木、火”等。

（三）中国的气候

中国国土面积辽阔，地跨众多的温度带和干湿地区，加上地形复杂，地势高低悬殊，所以气候复杂多样。东部地区为典型的季风气候，西北地区为干旱半干旱的大陆性气候，青藏高原则形成了独特的高原气候。中国气候总的特点是：全国夏季普遍高温，冬季南北温差大，降水量从东南向西北递减。

China's Climate

China has a very complex and diversified climate because of its vast territory, encompassing several temperature bands and both wet and dry areas. In addition, the complex terrain situation with the huge height disparity also makes the climate more complicated. China's eastern region has a typical monsoon climate. The arid and semi-arid region in the northwest has a continental climate. The Tibetan Plateau has its own unique plateau climate. Generally speaking, everywhere is hot during the summer, but the north is much colder than the south in the winter and precipitation decreases from southeast to northwest.

文化内容拓展

农历

农历是中国传统的历法之一，既用月亮的变化周期来制定时间，又根据太阳照射的位置来反映一年的季节变化，是一种既照顾阴历又照顾阳历的历法。农历的新年和公历的新年时间不一样，农历的新年称为“春节”（正月初一），一般在公历一月下旬或者二月上旬。

古代中国根据这个历法，使用二十四个节气来标志一年中季节的变化。因为它跟农业生产的关系非常密切，所以人们常常称之为“农历”。农历是古人为了掌握农时、长期观察天文而产生的，所以在长期以农业为主的中国使用起来非常方便准确，成为中国人的骄傲，已经被看作是中国传统文化的代表之一，民间至今还乐于使用农历。世界上几乎所有的华人，以及朝鲜、韩国、越南等国家也在使用农历来推算传统节日。

Chinese Lunar Calendar

The lunar calendar is one of the traditional Chinese calendars. It calculates the passage of time according to the moon's cycle and reflects seasonal changes in accordance with the position of the sun. As such, the Chinese lunar new year, called Spring Festival, is not the same as the new year in the Gregorian calendar (January 1st). Instead, Spring Festival takes place on the first day of the first lunar month, which usually falls in late January or early February.

According to the ancient Chinese calendar, ancient Chinese people created twenty-four *jieqi* (point marking one of the 24 divisions of the solar year in the traditional Chinese calendar) to mark the season's change and conduct the agricultural production. Because of its close relationship with agricultural production, ancient Chinese people called the lunar calendar *nongli*, meaning agricultural calendar. The lunar calendar was carefully developed alongside agricultural practices and so is closely linked to the agriculturally-dominated Chinese tradition. Incredibly accurate and easy to use, the lunar calendar is a source of pride for China, representative of its traditional culture. Still relevant today, almost all Chinese people, as well as people in the DPRK, Korea, and Vietnam, use the traditional lunar calendar to calculate traditional festivals.

生肖

在中国的汉族、回族、藏族和许多其他民族，以及一些亚洲国家，都在使用顺序完全一致的十二种动物来代表人的出生年，这就是十二生肖。有一些民族和地区的十二生肖用不同的动物或不同顺序来表示，但大致类似。现在，亚洲、东欧、北非等一些国家也流行十二生肖。

生肖可能来源于古人对动物的崇拜。现在一般是从农历正月初一开始计生肖年。中国人想问人是哪一年出生的，也会用“你属什么”来代替。

十二生肖各自有其不同的寓意，并且两两一组：

鼠代表智慧，牛代表勤劳；虎代表勇猛，兔代表谨慎；龙代表刚，蛇代表柔；马代表勇往直前，羊代表和顺；猴代表灵活，鸡因为定时打鸣而代表恒定；狗代表忠诚，猪代表随和。

每组生肖形成古人对人某一方面的期望，两个特点既不相同又互为补充，两者互相结合达到和谐与平衡。

The Chinese Zodiac

The Chinese Zodiac, used by many of China's ethnic groups (including Han, Hui, and Tibetan) and other Asian countries is comprised of twelve animals in a sequence assigned to each successive lunar year. Other ethnic groups and countries use a similar method, either with different animals or with the same animals in a different order. The Chinese Zodiac has gained popularity outside of Asia, including Eastern European and North African countries.

The Chinese Zodiac may be derived from the ancient worship of animals. When Chinese people want to ask, "Which year were you born," they may instead ask, "What's your animal?"

The twelve animals of the Chinese Zodiac have different meanings, but are linked together in pairs:

The rat represents wisdom while the ox indicates diligence; the tiger is brave and the rabbit is cautious; the dragon represents firmness while snake represents tenderness; the horse is characterized by optimism and the sheep is characterized by softness; the monkey indicates flexibility whereas the rooster and his daily crowing indicate regularity; the dog is loyal and the pig is easygoing.

All of the above meanings reflect the ancient's expectation of life. The characteristics in every pair are different but complementary so that there is a balanced and harmonious combination.

学生用书第五单元“中国文化”页中的三张图分别展现了中国人过生日的场景。上图：在中国农村为老人过生日、祝寿；中图：现代中国家庭为孩子过生日，吃生日蛋糕；下图：中国人为孩子过一岁生日的传统方式。

第五单元测验

1. 听录音，完成练习。

（1）听录音，在相应的图片下面写出序号。

_____ _____ _____ _____

（2）听录音，在相应的名字后面写出生日。

Jim __________

Mary __________

Ann __________

Mike __________

2. 说出你的生日和年龄。

参考词语：生日、月、号、岁。

3. 朗读。

Jīntiān shì shí yuè sān hào, shì wǒ bàba de shēngrì.

（1）今天是十月三号，是我爸爸的生日。

Xiànzài bā diǎn bàn, wǒ qù chī hǎixiān.

（2）现在八点半，我去吃海鲜。

Wǒ hěn lěng, wǒ xiǎng hē rè chá.

（3）我很冷，我想喝热茶。

4. 写汉字。

（1）xiànzài（now） __________

（2）jǐ yuè（which month） __________

（3）jīntiān（today） __________

5. **翻译。**

（1）把中文翻译成英文。

Zuótiān hěn lěng, jīntiān bù lěng.
①昨天很冷，今天不冷。

Xiànzài qī diǎn bàn.
②现在七点半。

（2）把英文翻译成中文。

① What time is it now?

② My birthday is on August 14th.

第五单元测验部分答案

1. 听录音，完成练习。

（1）听录音，在相应的图片下面写出序号。

① 现在几点？

现在十点半。

② 现在几点？

现在八点二十。

③ 现在几点？

现在四点。

④ 现在几点？

现在两点半。

答案：③④①②

（2）听录音，在相应的名字后面写出生日。

我叫Jim，我的生日是二月十号。

我叫Mary，我的生日是七月二十八号。

我叫Ann，我的生日是三月六号。

我叫Mike，我的生日是十一月三十号。

答案：Jim 二月十号　Mary 七月二十八号

Ann 三月六号　Mike 十一月三十号

4. 写汉字。

（1）现在　（2）几月　（3）今天

5. 翻译。

（2）把英文翻译成中文。

①现在几点？

②我的生日是八月十四号。

第 六 单 元
工 作

第十六课　他是医生

教学目标

交际话题： 谈论职业。
问某人的职业。

语 言 点： 他是不是画家？
他是画家。

生　　词： 医生　画家　工程师　教师
商人　工人

汉　　字： 是　师　工　画

一、基本教学步骤及练习要点

（一）导入：老师简单询问学生对未来职业的打算，将学生带入规定情景中；同时尽量使用与本课生词相关的话题，使学生熟悉本课即将涉及到的生词，明确学习任务。

（二）学习生词：本课生词都是关于职业的，老师可先让学生看本课练习1的图片，然后听老师读生词，让学生自己猜，把生词的声音和图片的形象进行联系。学生猜测完毕后，老师再作解释，让学生检查自己猜得对不对。

（三）老师领读生词，同时注意纠正学生的发音。

（四）做练习1，让学生听录音，听的同时把录音中生词的编号填写进空格内。

（五）做练习2，朗读练习，将本课的基本句型用阶梯的形式列出，使学生在朗读中熟悉本课的基本句型。

（六）做练习3，目的在于让学生把生词和对应的职业联系起来。

（七）导入本课句型："他是不是……？"请注意与"他是……吗？"的提问方式的不同结构："他是……吗？"的疑问句，必须有表示疑问的助词"吗"；而正反疑问句"他是不是……？"则不需要疑问助词。请在做学生用书练习4时向学生加以强调说明；学生用书练习4、5为本课句型的应用练习。注意，本课的应用练习已经是很常用的形式了，并且量也比较多，请老师反复带领学生做此练习。

（八）做练习6，朗读并翻译。

（九）做练习7，看图说话练习已经是语段练习了，也就是说，从本单元开始，学生应该可以用小语段进行表达。教师可以先提示学生复习学习过的词语和句型，在此基础上帮助学生完成语段练习。

（十）做练习9，写汉字。

（十一）选做教师用书中的补充练习。

附：录音文本和答案

练习 1

①学生　②教师　③医生　④商人

⑤工程师　⑥画家　⑦工人

答案：①⑦⑤

③⑥④②

二、练习与课堂活动建议

* 练习

（一）找拼音。

（1）工人　gōngrén

（2）工程师　______

（3）医生　______

（4）画家　______

（5）商人　______

（6）教师　______

jiàoshī
huàjiā
gōngrén
shāngrén
gōngchéngshī
yīshēng

（二）读拼音，写英文。

（1）huàjiā　painter

（2）yīshēng　______

（3）gōngchéngshī　______

（4）jiàoshī　______

（5）shāngrén　______

（6）gōngrén　______

（三）看英文，找中文。

（1）Mike is a student.	（3）	Lìli shì gōngchéngshī ma?
（2）Xiaohong's brother is not a painter.		Tā shì bu shì shāngrēn?
（3）Is Lili an engineer?		Mike shì xuéshēng.
（4）Are you a doctor or not?		Nǐ shì bu shì yīshēng?
（5）Is he a businessman or not?		Xiǎohóng de gēge bú shì huàjiā.

（四）看图片，完成对话。

Tā shì gōngchéngshī ma?
（1）他是工程师吗？
Tā shì gōngchéngshī.
他是工程师。

Tā shì bu shì gōngrén?
（2）他是不是工人？
Tā shì gōngrén.
他是工人。

ma?
（3）__________吗？
Tā shì
他是__________。

（4）________________？

________________。

（五）翻译。

Zhè shì wǒ jiā. Wǒ bàba shì yīshēng, māma shì jiàoshī, jiějie shì gōngrén,
（1）这是我家。我爸爸是医生，妈妈是教师，姐姐是工人，
gēge shì xuéshēng, wǒ yě shì xuéshēng.
哥哥是学生，我也是学生。

____

Jīntiān yǒu Zhōngwénkè, wǒ bā diǎn qù xuéxiào. Wǒ xǐhuan Zhōngwén, nǐ ne?
（2）今天有中文课，我八点去学校。我喜欢中文，你呢？

____

Nǐ yě shì xuéshēng ma? Nǐ jǐ diǎn qù xuéxiào? Nǐ xǐhuan shénme kè?
（3）你也是学生吗？你几点去学校？你喜欢什么课？

____

附：练习答案

（一）练习 2

（2）doctor （3）engineer （4）teacher （5）businessman （6）worker

（二）练习 3

（1）Mike is a student.	（3）	Lìli shì gōngchéngshī ma?
（2）Xiaohong's brother is not a painter.	（5）	Tā shì bu shì shāngrén?
（3）Is Lili an engineer?	（1）	Mike shì xuéshēng.
（4）Are you a doctor or not?	（4）	Nǐ shì bu shì yīshēng?
（5）Is he a businessman or not?	（2）	Xiǎohóng de gēge bú shì huàjiā.

* 课堂活动建议

（一）让学生扮演画家、医生、工程师、工人、教师、商人的角色，由老师提示句型。如老师说出“……是……”,扮演某一角色的学生就用自己的角色造句子:“我是……”其余的学生变换主语人称,说出“他是……”,或用该学生的名字说出,如“John是……”。老师继续提示：“……是……吗？”扮演该角色的学生造句：“我是……吗？”其他学生变化主语形式,说出:“他是……吗？”或“John是……吗？”本练习也可以用于“……是不是……”的提问句型。老师在学生提问的时候可以启发学生用“……不是……”回答。

（二）猜一猜

老师准备一些学过的生词的卡片，如“医生”“工程师”“教师”“画家”“商人”“中国人”“英国人”“小海”“李小龙”等，也可以准备一些表示物品的生词卡片，如“茶”“咖啡”“水果”“鱼”等。如果为了活跃课堂气氛，还可以准备一些让学生意想不到的词语，比如“猫”和“狗”。选一个学生抽取其中的任意一张卡片，让这个学生自己看卡片的内容，其他学生猜这张卡片，用本课学过的疑问句形式提问，如：“那是不是商人？”“他是李小龙吗？”每个学生都要提问，然后让拿到卡片的学生用判断句的肯定或否定形式回答。

三、语言点与背景知识提示

（一）他是画家。

“是”是汉语中的一个判断词，“名词 + 是”是汉语中常用的句式，表示对事物作出判断。第二课中已经学过了“我是中国人”，第四课学过“这是我爸爸，那是我妈妈”。常见的例句还有：

他是学生。

我是英国人。

那是我哥哥。

这是我同学。

（二）他不是画家。

“是”字的前面加“不”，构成判断句的否定形式。否定词“不”用在判断词“是”的前面，与英语的“... is not ...”的意思基本相同。但是，在英语中，否定词“not”用在系动词“be”的后面，而汉语中相反。如：

他不是学生。

我不是英国人。

那不是我哥哥。

这不是我同学。

（三）他是不是画家？

由“是不是”构成的正反疑问句形式，是汉语中一种常见的疑问句。这种句式把“是”和“不是”这两种肯定和否定的可能性提供给对方，要求对方从中选择一种来回答问题。选择疑问句的句尾不能使用疑问词“吗”。如：

你	是	不	是	中国人？
他	是	不	是	学生？
那	是	不	是	你哥哥？
这	是	不	是	你同学？

其他动词也可以构成正反疑问句。例如：

你	吃	不	吃	面包？
爸爸	喝	不	喝	咖啡？
姐姐	喜欢	不	喜欢	这个电影？

第十七课　他在医院工作

教学目标

交际话题： 问某人的工作单位。
告诉某人你的工作单位。

语 言 点： 他在哪儿工作？
他在医院工作。

生　　词： 工作　医院　护士　司机　校长
售货员　商店　工厂　学校

汉　　字： 校　长　院　机

一、基本教学步骤及练习要点

（一）导入：本课的话题为“谈工作单位”，即把职业与工作场所结合起来。老师可与学生简单谈论几种职业的工作场所，比如：“医生在医院工作；教师在学校工作”等，让学生了解本课的学习任务。

（二）学习生词：老师可以尽量把本课关于职业和工作场所的生词结合起来介绍给学生，也可以利用第十六课学过的生词，如“医生”“医院”“商人”“商店”等。

（三）老师领读生词，注意纠正学生的发音。可以按照讲解生词的顺序领读，也可以让学生自己配对朗读。

（四）做练习1、2和3，掌握本课表示职业的生词和表示工作地点的生词之间的搭配，同时开始熟悉基本句型。

（五）导入表示处所的介词“在”（见本课“语言点与背景知识提示”）。教师可适当复习第一和第三单元的内容，并引导学生联想，如：医生在哪儿工作？教师在哪儿工作？你家在哪儿喝茶？妈妈在哪儿买东西？你在哪儿上课？明明的家在哪儿？Mary的家在哪儿？做练习4。

注意：“买东西”“上课”是生词，请老师在使用例句时加以解释。

（六）导入带有疑问代词“哪儿”的句子（见本书第三课“语言点与背景知识提示”）。

建议：老师可以用卡片组成“医生在医院工作”的句式，然后将处所“医院”拿掉，成为“医生在……工作？”，让学生找出合适的词来完成疑问句。做练习5，由老师引导学生完成后，可以让学生做分组问答练习。

（七）做练习8，看图说话。这个练习进一步巩固本课所学的生词与句型。

（八）做练习9，写汉字。老师可提醒学生偏旁的作用，本课可以归纳“木”字旁，复习所有学过的“木”字旁的字。

（九）根据情况，选做教师用书中的补充练习。

附：录音文本和答案

（一）练习1

①护士　②商店　③售货员　④司机

⑤工厂　⑥医生　⑦校长　⑧医院

答案：②④①③

⑦⑤⑧⑥

（二）练习7

（1）A：你是中国人吗？你在哪儿工作？

B：我是中国人，我在北京工作。

（2）A：你是医生吗？你在哪儿工作？

B：我是医生，我在医院工作。

（3）A：你是教师吗？你在哪儿工作？

B：我是教师，我在学校工作。

答案：（1）zài Běijīng;　（2）zài yīyuàn gōngzuò;

（3）jiàoshī，zài xuéxiào gōngzuò.

二、练习与课堂活动建议

* 练习

（一）看拼音，找汉字。

（1）yīyuàn　④医院

（2）sījī

（3）shòuhuòyuán

（4）gōngzuò

（5）shāngdiàn

（6）xiàozhǎng

（7）hùshi

①司机
②商店
③护士
④医院
⑤校长
⑥工作
⑦售货员

（二）看拼音，写英文。

（1）gōngzuò ____work____

（2）yīyuàn ________

（3）shāngdiàn ________

（4）xiàozhǎng ________

（5）hùshi ________

（6）sījī ________

（7）shòuhuòyuán ________

（8）xuéxiào ________

（三）给拼音句子标号。

（1）他是教师，他在学校工作。		Wǒ shì yīshēng, wǒ zài yīyuàn gōngzuò.
（2）我是医生，我在医院工作。		Tā shì jiàoshī, tā zài xuéxiào gōngzuò.
（3）她是售货员，她在商店工作。	（4）	Mike shì xuésheng ma? Tā zài xuéxiào xuéxí ma?
（4）Mike是学生吗？他在学校学习（xuéxí，to study）吗？		Tā shì shòuhuòyuán, tā zài shāngdiàn gōngzuò.

（四）读英语，说汉语。

（1）A：Are you a student?

B：Yes, I am.

A：你是学生吗？

B：我是学生。

（2）A：Are you an engineer or not?

B：No, I am not an engineer.

A：你是不是工程师？

B：________________。

（3）A：Are you a worker or not?

B：Yes, I am a worker.

A：________________？

B：________________。

（五）朗读并模仿说话。

Nǐ hǎo！Wǒ jiào Jack, wǒ shì Yīngguórén.
A：你 好！我 叫 Jack，我 是 英 国 人。

Nǐ hǎo！Wǒ shì xiǎohǎi, wǒ shì Zhōngguórén.
B：你 好！我 是 小 海，我 是 中 国 人。

Nǐ shì xuésheng ma?
A：你 是 学 生 吗？

Wǒ shì xuéshēng, nǐ ne?
B：我 是 学 生，你 呢？

Wǒ bú shì xuéshēng. Wǒ shì yīshēng, wǒ zài yīyuàn gōngzuò.
A：我 不 是 学 生。我 是 医 生，我 在 医 院 工 作。

（六）翻译。

Jim de gēge shì shòuhuòyuán, tā zài shāngdiàn gōngzuò.
（1）Jim 的 哥 哥 是 售 货 员，他 在 商 店 工 作。

Mary de gēge shì jiàoshī, tā zài xuéxiào gōngzuò.
（2）Mary 的 哥 哥 是 教 师 ，他 在 学 校 工 作。

Xiǎohǎi de jiějie shì Zhōngwén jiàoshī, tā zài Yīngguó gōngzuò.
（3）小 海 的 姐 姐 是 中 文 教 师，她（she）在 英 国 工 作。

Wǒ bàba shì yīshēng, tā zài yīyuàn gōngzuò.
（4）我 爸 爸 是 医 生，他 在 医 院 工 作。

附：练习答案

（一）练习1

（2） ①　　（3） ⑦　　（4） ⑥

（5） ②　　（6） ⑤　　（7） ③

（二）练习2

（2）hospital　　（3）shop　　（4）headmaster

（5）nurse　　（6）chauffeur　　（7）salesperson

（8）school

（三）练习3

（1）他是教师，他在学校工作。	（2）	Wǒ shì yīshēng, wǒ zài yīyuàn gōngzuò.
（2）我是医生，我在医院工作。	（1）	Tā shì jiàoshī, tā zài xuéxiào gōngzuò.
（3）她是售货员，她在商店工作。	（4）	Mike shì xuéshēng ma? Tā zài xuéxiào xuéxí ma?
（4）Mike是学生吗？他在学校学习（xuéxí, to study）吗？	（3）	Tā shì shòuhuòyuán, tā zài shāngdiàn gōngzuò.

（四）练习4

（2）我不是工程师。

（3）你是不是工人？

我是工人。

三、语言点与背景知识提示

他在医院工作。

“在”，介词，后面可以跟处所词，构成“主语 + 在 + 处所 + 动词”形式，如：

他在医院工作。

他在学校工作。

其他例子如：

主语	在	处所	动词
他	在	食堂	吃饭
我	在	图书馆	看书
Ann	在	学校	学习

请注意，在英语的“somebody works in/at somewhere”的句式里，“in/at somewhere”用在动词的后面；而汉语中“在 + 处所 + 动词”的句型中，“在 + 处所”这一状语应该用在动词的前面，表示动作发生的处所。

第十八课　我想做演员

教学目标

交际话题： 谈论理想职业。
问某人的理想职业是什么。

语 言 点： 我想做演员。
您是演员吧？

生　　词： 您　演员　想　做　作家　科学家　吧

汉　　字： 您　想　吧　做

一、基本教学步骤及练习要点

（一）导入：本课的话题为谈工作打算。老师可启发学生谈对于将来职业的打算。如果学生谈的理想职业与本单元所学生词有关，可以让学生用汉语说出这些职业，并且启发他们谈谈自己喜欢的职业，便于导入本课“想做……”的句型。

（二）老师领读生词，注意纠正学生的发音。特别注意区别“您”和“你”的发音。

（三）做练习1和3，巩固本课的生词。

（四）老师领读练习2，熟悉本课句型。

（五）讲解“您”与“你”的区别（见本课“语言点与背景知识提示”）。请老师准备一些为英国学生所熟知的人物形象，如：莎士比亚（William Shakespeare，1564—1616）、牛顿（Newton, Sir Isaac，1642—1727）、毕加索（Picasso Pablo，1881—1973）、李小龙等。让学生模拟与这些人物在同一情景中用“您”做对话练习，可以使用以前学过的句型和本课的生词。如：

您是莎士比亚吧？您是作家吧？

您是牛顿吧？您是科学家吧？

您是毕加索吧？您是画家吧？

您是李小龙吧？您是演员吧？

可以让学生扮演这些名人，由其他学生提问，让扮演名人的学生回答。

（六）讲解句型“我想做演员。”（见本课“语言点与背景知识提示”）做练习4和6。

（七）讲解“您是演员吧？”请注意区分疑问助词“吧”和“吗”在疑问句中的

不同意思。由于用“吧”提问的疑问句多表示对于推断的确认，老师可以选择学生能够作出肯定回答的问题进行提问。如：“莎士比亚是英国人吧？”“毛泽东是中国人吧？”“李小龙是演员吧？”“你是学生吧？”让学生根据自己的已知信息作出回答。做练习5。

（八）练习7为学生做会话练习提供了三个基本句型，请老师在指导学生练习时引导学生在对话中使用。

附：录音文本和答案

（一）练习1

①科学家　②想　③作家　④您　⑤做　⑥演员

答案：想（xiǎng）②　作家（zuòjiā）③　科学家（kēxuéjiā）①　您（nín）④　演员（yǎnyuán）⑥　做（zuò）⑤

（二）练习4

1）②　2）③　3）①

（三）练习5

2）B：我是中国人。

3）A：你 / 您是司机吧？

B：我是司机。

5）B：我想做画家。

6）A：你想做工程师吗？

B：我想做工程师。

二、练习与课堂活动建议

*** 练习**

（一）找拼音。

（1）您　____nín____

（2）演员　________

（3）作家　________

（4）科学家　________

（5）做　________

（6）想　________

nín
zuòjiā
xiǎng
kēxuéjiā
yǎnyuán
zuò

（二）读拼音，写英文。

（1）zuò to become

（2）nín ____________

（3）xiǎng ____________

（4）yǎnyuán ____________

（5）zuòjiā ____________

（6）kēxuéjiā ____________

（三）给拼音句子标号。

（1）您是演员吧？	（4）	Tā xiǎng zuò gōngchéngshī.
（2）你是老师吧？		Nín shì yǎnyuán ba?
（3）我想做画家。		Nǐ xiǎng zuò shòuhuòyuán ma?
（4）他想做工程师。		Nǐ shì lǎoshī ba?
（5）你想做售货员吗？		Wǒ xiǎng zuò huàjiā.

（四）连线。

Nǐ shì gōngchéngshī ba?
Wǒ shì gōngchéngshī.

Are you a painter or not?
Yes, I am a painter.

Nǐ xiǎng zuò yǎnyuán ba?
Wǒ xiǎng zuò yǎnyuán.

Are you an engineer?
Yes, I am an engineer.

Nǐ shì bu shì huàjiā?
Wǒ shì huàjiā.

Do you want to become an actor?
Yes, I want to become an actor.

（五）翻译，并回答问题。

我叫小红，我家在北京。今天我有英文课，我喜欢英文，我想做教师。丽丽是我的同学，她喜欢计算机课，她想做工程师。

问题：

（1）小红喜欢什么课？

（2）小红想做什么？

（3）丽丽喜欢什么课？

（4）丽丽想做什么？

附：练习答案

（一）练习1

（2）yǎnyuán　（3）zuòjiā　（4）kēxuéjiā

（5）zuò　（6）xiǎng

（二）练习2

（2）you(formal)　（3）want to　（4）actor or actress

（5）writer　（6）scientist

（三）练习3

（1）您是演员吧？	（4）	Tā xiǎng zuò gōngchéngshī.
（2）你是老师吧？	（1）	Nín shì yǎnyuán ba?
（3）我想做画家。	（5）	Nǐ xiǎng zuò shòuhuòyuán ma?
（4）他想做工程师。	（2）	Nǐ shì lǎoshī ba?
（5）你想做售货员吗？	（3）	Wǒ xiǎng zuò huàjiā.

*课堂活动建议

与名人对话：老师准备一些名人的人名卡片，如：莎士比亚、牛顿、比尔·盖茨（Bill Gates）、休·格兰特（Hugh Grant）、毕加索等，让学生随便抽取。抽到的学生扮演卡片上的人物，其他学生用本课学过的“您是……吧？”提问。扮演名人的学生可以做肯定的回答，然后问其他的学生“你想做……吗？”由学生任意回答。扮演名人的学生还可以用学过的生词和句型提问，如：“你们有什么课？”“你喜欢……课吗？”

三、语言点与背景知识提示

（一）您是演员吧？

“您”，“你”的敬称，对谈话的对方表示尊重时使用。如果对方不止一人，后面通常加数量词。如：

王老师，您好！

您是中国人吗？

您二位是医生吗？

张先生，您喜欢英国吗？

“你”和“您”这两个汉字的发音非常接近，声母相同，韵母和声调不同，用法也不同。请在使用时注意。

（二）我想做演员。

“想”，能愿动词，后边常带动词宾语。如：

主语	想	动词	宾语
我	想	吃	中国菜
他	想	做	演员
我	想	去	中国
小海	想	学	英文

这个句型与英语中的“I want to do something”相似，但是在汉语中，“想”的后面可以直接加动词作宾语，动词没有词形的变化，而英语中需要动词不定式作宾语。

（三）您是演员吧？

在本课中，陈述句的后面加“吧”，组成一个问句。“吧”不单纯表示提问，也有揣测的语气。如：

你是中国人吧？

你去图书馆吧？

你想做工程师吧？

试比较：

你是中国人吧？	你是中国人吗？
你去图书馆吧？	你去图书馆吗？
你想做工程师吧？	你想做工程师吗？
（猜测某种可能性）	（不知道对方的情况，提问）

（四）指事字

用指事法造出的汉字是指事字。在象形字的基础上，用表意的象征性符号，或者用象形字结合其他符号来表意，就是指事。指事字可以分为两类，一类是用符号的组合构成，多表示抽象的概念，如“上、下、中、大、小”；另一类是在象形字的基础上加以变化构成的，表示抽象的事物，如“本、刃、母、末、亦”。我们在第二单元学习的汉语数词“一、二、三”就是最常见的指事字。指事字一般都是独体字，在汉字中的数量较少。

文化内容拓展

中学生的公益活动

在中国，中学生既专注于学业，又对社会表现出强烈的好奇心与参与意识。他们常常利用课余时间参加各种社会公益活动。

多数中学生热心环保，参与各种环保宣传推广活动，如垃圾分类、电池回收、节水节电、绿色出行、低碳生活、拯救濒危动物等。有的中学生自办网站，向全社会宣传他们的环保理念，有的则利用课余时间参与志愿者活动。

在生活中，很多中学生正在用实际行动帮助他人解决困难。有的中学生定期去养老院帮助孤寡老人，为他们打扫卫生，读书读报，表演节目，陪老年人聊天；有的去特殊学校帮助残障儿童，与他们一起做各种活动，帮助他们康复；有的去打工子弟学校，辅导低年级的孩子们学习文化知识；有的为受灾地区义卖募捐，帮助遭受自然灾害地区的人们重建家园。

一些中学生还意识到：应该通过自己的努力，让更多的世界人民了解中国的文化。他们选出能够代表中国文化价值观的汉字，如“仁”“孝”“爱”等，通过各种方式向全世界进行推荐。

The Public Service Activities of Chinese Middle School Students

In China, middle school students not only focus on their studies, but also make efforts to explore and participate in their communities. They often take part in various public service activities during their spare time.

Most students are enthusiastic about environmental protection. They help promote various environmental activities, such as refuse classification, recycling battery, water and electricity conservation, “green” travel, reducing our carbon footprint, and protecting endangered species. Some students create websites promoting and publicizing their environmental ideas while others to participate in volunteer activities.

Many students are also taking practical steps to help others in their communities. Some go to visit the elderly, helping to clean, reading newspapers and books, performing for entertainment, and simply chatting. Other students may volunteer at special schools for disabled children where they may play with the students and help them recover. Tutoring the lower grades in schools for migrant children is also popular. Still other students may sell goods and solicit donations for charities helping the victims of natural disasters.

Some students want to encourage more foreigners to understand Chinese culture, choosing to teach some characters like “仁” (benevolence), “孝” (filial piety), “爱” (love).

学生用书第六单元“中国文化”页中的四张照片分别为：图1：学生在参加义卖活动；图2：学生在参加采摘活动；图3：中小学生在职业体验中心体验幼儿护理工作；图4：中小学生在职业体验中心体验做消防员。

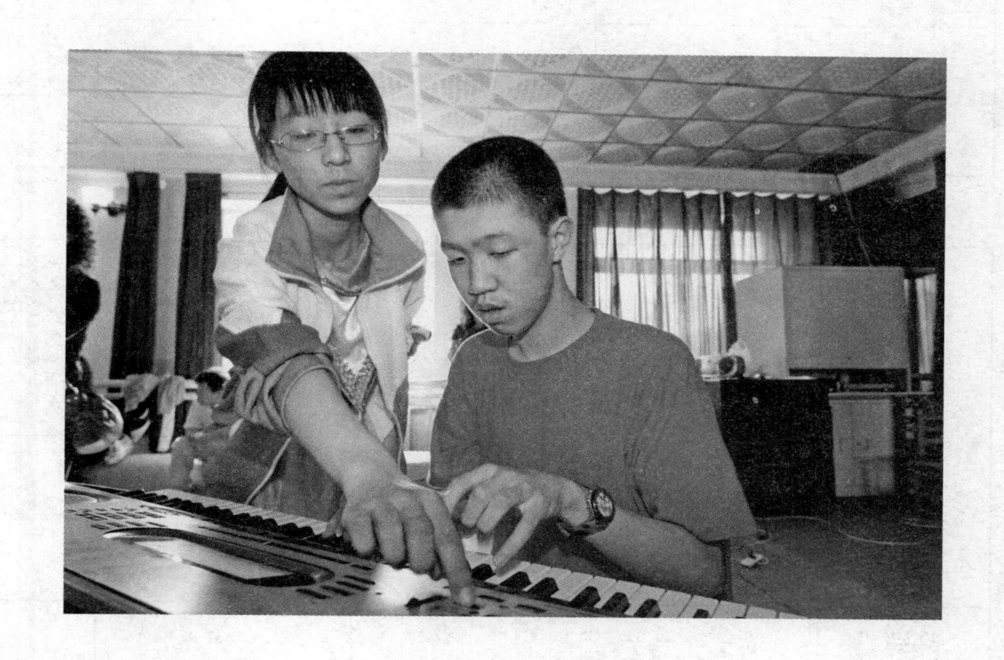

第六单元测验

1. 听录音，选择答案。

（1）

我			√	
他				√
小海	√	×		

（2）

我				
哥哥				
我妈妈				

（3）

	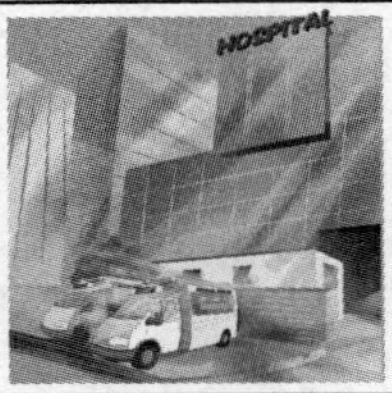 HOSPITAL	 SHOP	
我			
他			
姐姐			

2. 说一说。

（1）看图说话：介绍小明的家。

小明的爸爸是……

小明的妈妈是……

他的姐姐是……

小明是……

（2）介绍你的家庭成员。

（3）回答问题：

你妈妈是不是工程师？

你想做医生吗？

医生在哪儿工作？

3. 朗读。

Wǒ xǐhuan Lǐ Xiǎolóng, wǒ xiǎng zuò yǎnyuán.
（1）我喜欢李小龙，我想做演员。

Xiǎohóng shì bu shì xuéshēng? Tā xǐhuan Fǎwénkè ma?
（2）小红是不是学生？她喜欢法文课吗？

Tā bú shì sījī, tā shì shòuhuòyuán, zài shāngdiàn gōngzuò.
（3）她不是司机，她是售货员，在商店工作。

Bàba shì jiàoshī, zài xuéxiào gōngzuò. Jīntiān xīngqīyī, tā yào qù xuéxiào.
（4）爸爸是教师，在学校工作。今天星期一，他要去学校。

4. 写汉字。

（1）huàjiā（painter） ________家

（2）zuòjiā（writer） ________家

(3) jiàoshī (teacher)　　教________

(4) xiàozhǎng (headmaster)　　________

(5) gōngrén (worker)　　________

(6) gōngchéngshī (engineer)　　________

5. 翻译。

(1) 把中文翻译成英文。

Nǐ shì bu shì lǎoshī ?
①你是不是老师？

Wǒ xiǎng zuò kēxuéjiā .
②我想做科学家。

Tā zài túshūguǎn gōngzuò .
③他在图书馆工作。

Xiǎohóng shì xuéshēng ba?
④小红是学生吧？

(2) 英汉对应。

① Do you want to be an engineer?

② Is Xiaoming a driver?

③ I am a nurse. I work in a hospital.

④ He is a salesman. He goes to the store at 8:00 o'clock.

(　　) Tā shì shòuhuòyuán. Tā bā diǎn qù shāngdiàn.

(　　) Wǒ shì hùshi, zài yīyuàn gōngzuò.

(　　) Nǐ xiǎng zuò gōngchéngshī ma?

(　　) Xiǎomíng shì sījī ma?

第六单元测验部分答案

1. 听录音，选择答案。

录音文本：

（1）我想做教师，他想做工程师；小海不想做工人，他想做医生。

（2）我是售货员，哥哥是司机；我妈妈不是商人，她是护士。

（3）我在医院工作，他在商店工作，姐姐在学校工作。

答案：

（2）

我				√
哥哥	√			
我妈妈		×	√	

（3）

我	√		
他		√	
姐姐			√

4. 写汉字。

（1）画家 （2）作家 （3）教师 （4）校长 （5）工人 （6）工程师

5. 翻译。

（1）把中文翻译成英文。

① Are you a teacher or not?

② I want to be a scientist.

③ He works in the library.

④ Is Xiaohong a student?

（2）英汉对应。

④③①②

第七单元
爱好

第十九课 你的爱好是什么

教学目标

交际话题： 谈论爱好。
语言点： 你的爱好是什么？
我的爱好是音乐。
生　　词： 爱好　音乐　电脑　游戏　上网
运动　他的　我们的
汉　　字： 什　么　音　乐

一、基本教学步骤及练习要点

（一）复习上一单元的内容，如职业、在哪儿工作、工作打算，和学生讨论他们是否喜欢这些职业，导入本课内容，喜欢什么，爱好是什么，然后学习生词。

（二）做练习1，熟悉生词的发音和意思，把音与义结合起来，上课开始的讨论可以参考此练习的词汇。

（三）做练习2，进一步熟悉发音和词语、句型的构成等，并复习“的”的用法。

（四）做练习3，可以反复听录音并模仿表达方式：A的爱好是＋名词。

（五）做练习4，看图完成对话，熟悉问答方式：名词／名词性词组＋是什么？

（六）做练习5，巩固认读，用短语和句子的形式出现，加强整体理解，可以两人一组说英语找汉语或说汉语找英语，也可以由老师任意朗读其中一句，让学生找出相应的句子。

（七）做练习6，翻译句子。练习6是中英文整句练习，目的是加强学生对汉语句子的整体理解。

（八）做练习7，写汉字。老师或学生可在黑板上示范，也可选择电脑演示。可让学生数笔画。

（九）根据情况选做教师用书中的部分练习。

（1）练习1、2帮助学生进一步熟悉词语；

（2）练习3判断正误，可由老师朗读；

（3）练习4，看英文用汉语提问，之后让学生根据个人情况回答问题；

（4）练习5自由会话，进一步运用所学句型。

附：录音文本

（一）练习1

①医生　②医院　③运动　④运动场

⑤图书馆　⑥电脑游戏　⑦音乐　⑧上网

答案：①③②⑤

⑦⑥④⑧

（二）练习3

（1）我叫小海，我的爱好是音乐。

（2）我叫丽丽，我喜欢体育课，我的爱好是运动。

（3）这是Jim，他是英国人。他的爱好是电脑游戏。

（4）Ann不喜欢运动，她的爱好是上网。

二、练习与课堂活动建议

*　**练习**

（一）把拼音和相应的图连在一起。

yīnyuè

diànnǎo

yùndòng

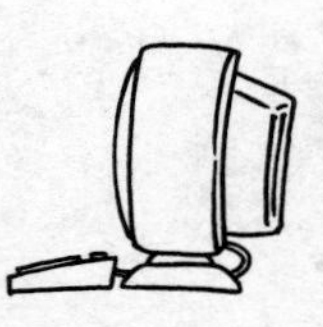

shàngwǎng

huàjiā

yīshēng

gōngchéngshī

（二）把相应的拼音、汉字、英文连接在一起。

（1）diànnǎo	运　动	sports ground
（2）diànnǎo yóuxì	运动场	computer
（3）shàngwǎng	画　家	music
（4）yīnyuè	电　脑	interest
（5）àihào	上　网	sports
（6）huàjiā	爱　好	to be online
（7）yùndòng	电脑游戏	computer games
（8）yùndòngchǎng	音　乐	painter

（三）听录音判断正误。

Jim de àihào shì yīnyuè.
（1）Jim 的 爱 好 是 音 乐。　（　　）

Jim de bàba yě xǐhuan yīnyuè.
（2）Jim 的 爸爸 也 喜欢 音 乐。　（　　）

Mary de àihào shì yùndòng.
（3）Mary 的 爱 好 是 运 动。　（　　）

Mary de gēge bù xǐhuan diànnǎo yóuxì.
（4）Mary 的 哥哥 不 喜欢 电 脑 游 戏。　（　　）

（四）用汉语回答下列问题。

（1）What do you like?

（2）What is your hobby?

（3）Do you like sports?

（4）Are you interested in music?

（五）自由会话。

3~4个学生一组，互相询问爱好。参考句型：

Nǐ de àihào shì shénme?
你 的 爱 好 是 什 么？

Nǐ xǐhuan … ma?
你 喜 欢 …… 吗？

Wǒ de àihào shì …
我 的 爱 好 是 ……

附：录音文本和答案

练习3

（1）我叫Jim，我的爱好是音乐。

（2）Jim的爸爸是医生，他的爱好也是音乐。

（3）她是Mary，她不喜欢运动，她的爱好是上网。

（4）Mary的哥哥是画家，他喜欢电脑游戏。

答案：

（1）√ （2）√

（3）× （4）×

* 课堂活动建议

老师做出一个动作，让学生用“他 / 她的爱好是……”说出，看谁能最快说出来并且又很正确，这个学生就可以自己做动作让其他学生说。如老师先做“运动”的样子，学生应该说“他 / 她的爱好是运动”。注意提醒学生尽量使用学过的词语。

三、语言点与背景知识提示

名词 / 名词性词组＋是什么？

第二课讲过用“什么”提问的特殊疑问句，主要是“动词＋什么”。如：“你叫什么？”“你要什么？”“他喜欢什么？”本课学习“名词 / 名词性词组 ＋是什么？”如：

电脑是什么？

你的爱好是什么？

他的工作是什么？

这种特殊疑问句用“什么”对句中的名词部分进行提问。

第二十课　你会打网球吗

教学目标

交际话题： 问体育爱好。
谈论运动。

语 言 点： 我会打网球。
我不会打篮球。

生　　词： 会　打　网球　篮球　游泳　运动员

汉　　字： 会　打　网　球

一、基本教学步骤及练习要点

（一）和学生复习讨论上一课的内容，问学生有什么爱好。说到运动时，可以用英语询问具体运动项目，引入本课的生词，如网球、篮球、游泳。领读生词，注意纠正发音。

（二）做练习1，通过找图案熟悉生词的发音和意思。

（三）做练习2，认读汉字，进一步熟悉发音和词组的构成：

（1）打 ＋ 部分球类；

（2）会 ＋ 动词；

（3）不 ＋ 会＋动词；

（4）……运动员。

（四）做练习3，通过选择人物和配图达到理解的目的，可以反复听录音熟悉“会”的表达方式：

（1）会 ＋ 动词（＋ 名词）；

（2）问句形式可以用：会 ＋ 动词（＋ 名词）＋ 吗？

（3）否定式为：不 ＋ 会 ＋ 动词（＋ 名词）。

（五）做练习4，看图完成对话，目的是让学生逐步学会自己表达，能使用“会……吗”“会……”“不会……”。

（六）做练习5，巩固认读并与意思结合，进一步掌握词语和表达。

（七）做练习6，翻译，巩固所学内容，可以进一步让学生自己说句子，请别的同学翻译。

（八）做练习7，写汉字。老师或学生可在黑板示范，也可选择电脑演示，让学生数笔画。本课可以提示同学归纳学习过的提手旁汉字。

（九）根据情况选做教师用书中的部分练习。

（1）练习1、2帮助学生进一步熟悉词语和句型。

（2）练习3回答问题，学生根据个人实际情况回答，可分组进行。

（3）练习4、5会话，结合以前学过的内容，帮助学生进一步巩固词语和句型的使用。

附：录音文本

（一）练习1

（1）网球　（2）游泳　（3）篮球　（4）打网球

（5）打篮球　（6）运动员

（二）练习3

（1）我叫小红，我喜欢网球，我会打网球。

（2）我叫小海，我不会打网球，我会打篮球。

（3）他是Mike，他会打篮球，他是篮球运动员。

（4）他是Jim，他会游泳，他不会打网球。

二、练习与课堂活动建议

＊　练习

（一）把相应的词语和图连在一起。

yùndòngchǎng
运动场

yùndòngyuán
运动员

wǎngqiú
网球

yóuyǒng
游泳

dǎ lánqiú
打篮球

diànnǎo yóuxì
电脑游戏

（二）看中文，写英文。

yóuyǒng
（1）游 泳——

lánqiú
（2）篮 球——

huì dǎ wǎngqiú
（3）会 打 网 球——

bú huì dǎ lánqiú
（4）不 会 打 篮 球——

bú shì yùndòngyuán
（5）不 是 运 动 员——

lánqiú yùndòngyuán
（6）篮 球 运 动 员——

Nǐ shì wǎngqiú yùndòngyuán ma?
（7）你 是 网 球 运 动 员 吗？——

（三）朗读句子并回答。

Nǐ huì dǎ wǎngqiú ma?
（1）你 会 打 网 球 吗？

Nǐ huì dǎ lánqiú ma?
（2）你 会 打 篮 球 吗？

Nǐ huì yóuyǒng ma?
（3）你 会 游 泳 吗？

Nǐ de gēge shì yùndòngyuán ma?
（4）你 的 哥 哥 是 运 动 员 吗？

Nǐ shàngwǎng ma?
（5）你 上 网 吗？

Nǐ xǐhuan diànnǎo yóuxì ma?
（6）你 喜欢 电 脑 游 戏 吗？

（四）根据下表进行对话。

√	yīnyuè 音 乐	√
	shàngwǎng 上 网	√
√	yóuyǒng 游 泳	
√	dǎ wǎngqiú 打 网 球	
	dǎ lánqiú 打 篮 球	√

参考词语：什么、吗、爱好、会、也。

Lìli de àihào shì yīnyuè, Xiǎohǎi de àihào yě shì yīnyuè.
例如：丽丽的爱好是音乐，小海的爱好也是音乐。

（五）完成对话。

（1）

A：你会打网球吗？

B：我会打______。

（2）

A：Jim会打______吗？

B：Jim不会________。

（3）

A：他是__________？

B：______________。

（4）

A：她__________吗？

B：她____________。

*　**课堂活动建议**

组建运动队：老师限定时间（如三分钟），让学生在教室内自由走动交谈，目的是组建自己的运动队，要求学生一边谈话一边记录和自己运动爱好相同的人，看谁在规定时间内找到的队员最多。

三、语言点与背景知识提示

能愿动词“会”放在动词前边，表示能够，否定式是“不会”。如：“我会游泳，他不会游泳。”“他会打网球，我不会打网球。”问句形式可以使用“会……吗？”这类能愿动词还有“能、可以”。能愿动词“会、能、可以、要”放在动词前还可表示愿望，这将在以后的课文中学到。

第二十一课　我天天看电视

教学目标

交际话题： 谈个人习惯。
谈论电视、电影。

语 言 点： 我天天看电视。
电视节目很好看。

生　　词： 看　电视　电影　天天　好看　节目

汉　　字： 看　电　节　目

一、基本教学步骤及练习要点

（一）和学生讨论他们下课以后一般做什么，爱好是什么，鼓励他们用学过的词语表达。注意引出“天天”和“好看”，以便进入本课的学习。领读生词，讲解意思。

（二）做练习1，熟悉生词的发音和意思，把音与义结合起来，结合以前学过的词语，可以提醒学生注意比较，如“今天、天天，电脑、电视、电影”。上课开始的讨论可以参考这个练习中的词汇。

（三）做练习2，朗读，把词义和字形联系在一起，进一步熟悉发音和词组的构成。

（四）做练习3，可以反复听录音，熟悉掌握“天天”和“好看”的意思及用法。

（五）做练习4，看图完成句子，目的是让学生逐步学会自己表达。

（六）做练习5，巩固认读并与意思结合，加强认读能力和词语组合能力。

（七）做练习6，翻译，可以结合学过的词语，做更多的翻译练习。老师在翻译练习上有很大的拓展空间，可以把以前学过的词语、句型归纳出来，反复让学生翻译，也可以让学生自己做这样的工作。

（八）做练习8，写汉字。老师或学生可在黑板上示范，也可选择电脑演示。可以让学生数笔画。

（九）教师用书中的练习可供选做。

（1）练习1训练词语搭配。

（2）练习2翻译，帮助学生进一步熟悉词语和句型表达。

（3）练习3、4训练听力理解和表达运用能力。

附：录音文本

（一）练习1

①今天　②天天　③电脑　④电影

⑤电视　⑥节目　⑦好看　⑧上网

答案：⑥③⑧⑤

　　　④②⑦①

（二）练习3

（1）小海：丽丽，你喜欢电影吗？

丽丽：我喜欢，我天天看电影。小海，你呢？

小海：我不喜欢电影，我天天看电视。

（2）Ann：Mike，你想看电视吗？

Mike：我不想看电视，我想去图书馆。Ann，你呢？

Ann：我想看电视，今天的电视节目很好看。

二、练习与课堂活动建议

* 练习

（一）把正确的表达和图连起来。

kàn diànshì
看 电 视

kàn diànyǐng
看 电 影

diànshì jiémù
电 视 节 目

xiǎo māo hǎokàn
小 猫 好 看

tiāntiān shàngwǎng
天 天 上 网

Jīntiān yǒu Zhōngwénkè.
今 天 有 中 文 课。

（二）看英文说汉语。

（1）Chinese film

（2）TV program

（3）He watches TV every day.

（4）Do you have a Chinese lesson every day?

（5）English films are very interesting.

（6）I have a kitten. My kitten is very nice.

（三）听录音判断正误。

Xiǎohǎi de gēge tiāntiān kàn diànyǐng.
（1）小 海 的 哥 哥 天 天 看 电 影。(　　)

Jīntiān wǒ bú kàn diànyǐng.
（2）今 天 我 不 看 电 影。(　　)

Míngming xǐhuan diànshì jiémù.
（3）明 明 喜 欢 电 视 节 目。(　　)

Wǒ gēge hěn hǎokàn.
（4）我 哥 哥 很 好 看。(　　)

（四）看图说话。

（1）参考词语：喜欢、爱好、天天。

（2）参考词语：有、好看、不、喜欢。

附：录音文本及答案

（一）练习3

（1）小海的哥哥喜欢电影，他天天看电影。

（2）今天我没有课，我想看电影，我想看中国电影。

（3）小红：明明，电视节目好看吗？

明明：好看，我喜欢。

（4）这是我姐姐，这是我哥哥。我姐姐好看，我哥哥不好看。

答案：

（1）√　（2）×　（3）√　（4）×

* 课堂活动建议

把这一单元或以前单元中的词语卡片拿出来，任意组合，让学生迅速说出一个句子。开始可以是一张，然后加至两张或三张，看谁说得又快又准确。

三、语言点与背景知识提示

（一）量词重叠

量词重叠有“每”的意思。如“天天看电视”就是“每天都看电视”，“个个都是好学生”即为“每个都是好学生”。

（二）好

“好”用在动词前，表示让人满意的性质在哪一方面，如“好看、好听、好吃、好闻”。否定式可以在“好”前加“不”，如“不好看、不好听”。

（三）名词作定语

在汉语里，一个名词可以直接用在另一个名词前作定语，如第十课已经学过的“中文课”“英文课”和本课的“电视节目”“中国电影”等。

（四）会意字

用会意的方法构成的汉字是会意字。会意是把两个或两个以上的字或符号拼在一起，会合成新的意思，可分为同体会意和异体会意两类。同体会意字是由相同的形体组成的，如：二“木”为“林”；三“木”为“森”；三人并列为“众”，表示人多。异体会意字是由不同形体组成的，其中多数很像简化了的图画，如：“休”，一个人靠在树上，意思是休息；“囚”，把人放在四面都是墙壁的处所里，意思是拘禁；“分”，用刀把物劈成两半，表示分开；“见”，人上加一只眼睛，表示看见；“明”，“日”和“月”在一起，表示带来光明，等等。

文化内容拓展

中国的国球——乒乓球

在中国，乒乓球是一种非常流行的球类运动项目，被称为中国的“国球”。

乒乓球起源于英国，是由网球发展而来的，所以英文名字是“桌上的网球”，又因击打时发出“乒乒乓乓”的声音而得名“乒乓球”。二十世纪初，乒乓球运动传入中国，很快就成为一项普及较广的运动。1959年，中国乒乓球运动员容国团在第25届世界乒乓球锦标赛上夺得了中国的第一个世界冠军，更使这一运动在中国长盛不衰。乒乓球作为奥运会正式比赛项目之一，中国运动员在世界乒乓球各项比赛中获得的金牌数居世界之首。

乒乓球还在中国的外交史上占有重要地位，这就是七十年代的“乒乓外交”。“乒乓外交”为促进中国与美国及世界多个国家建立外交关系、恢复中国在联合国的合法席位起到了至关重要的作用。

Table Tennis: China's National Sport

In China, table tennis is so popular that most people consider it as the national sport. Deriving from tennis, table tennis is originated in Britain. Another common name for the sport is ping-pong, referencing the sound made by striking and bouncing the ball. Ping-pong was brought to China in the early 20th century and quickly became a favorite. In 1959, Chinese player Rong Guotuan won the 25th World Table Tennis Championship, greatly increasing the sport's popularity in China. As one of the Olympic sports, ping-pong is largely dominated by Chinese athletes.

The sport of ping-pong had played an important role in China's diplomatic history. Called “Ping-pong Diplomacy”, the sport of ping-pong contributed to the improved Sino-American relations during the 1970s. This crucial relationship had encouraged diplomatic relations with other countries, playing an important role in the restoration of China's seat in the United Nations.

学生用书第七单元“中国文化”页中的六张照片分别为：左上：乒乓球和球拍；中上：乒乓球桌；右上：正在打乒乓球的运动员；左下：第29届夏季奥林匹克运动会上乒乓球比赛项目标志；中下：正在打乒乓球的孩子；右下：中国社区里正在打乒乓球的人们。

第七单元测验

1. 在听到的词语下面打√。

diànnǎo 电脑	diànshì 电视	diànyǐng 电影	lánqiú 篮球	wǎngqiú 网球	yóuyǒng 游泳	yīnyuè 音乐	shàngwǎng 上网
____	____	____	____	____	____	____	____

2. 听录音，选择正确的图片。

	 (电脑)	 (音乐)	 (游泳)	 (电影)
我				
Jim				
丽丽				

3. 说一说。

(1) 你的爱好是什么？
Nǐ de àihào shì shénme?

(2) 你喜欢什么运动？
Nǐ xǐhuan shénme yùndòng?

(3) 你天天看电视吗？
Nǐ tiāntiān kàn diànshì ma?

4. 把句子和相应的拼音连在一起，然后朗读。

(1) 他的爱好是运动。	Gēge shì yóuyǒng yùndòngyuán.
(2) 哥哥是游泳运动员。	Diànshì jiémù hěn hǎokàn.
(3) 他天天上网。	Wǒ xǐhuan Zhōngguó diànyǐng.
(4) 妈妈不会打篮球。	Tā de àihào shì yùndòng.
(5) 电视节目很好看。	Tā tiāntiān shàngwǎng.
(6) 我喜欢中国电影。	Māma bú huì dǎ lánqiú.

5. 写汉字。

（1）What is your hobby?

你的爱好是________________？

（2）I watch a movie.

我______________________影。

（3）His interest is music.

他的爱好是________________。

（4）I can play tennis.

我________________________。

（5）TV program

____________视____________

6. 翻译。

（1）把中文翻译成英文。

Zhège diànyǐng hěn hǎokàn.
① 这 个 电 影 很 好 看。

Tā huì dǎ lánqiú ma?
② 他 会 打 篮 球 吗？

Nǐ shì wǎngqiú yùndòngyuán ma?
③ 你 是 网 球 运 动 员 吗？

（2）把英文翻译成中文。

① What is your hobby?

② He watches TV every day.

③ Today's TV program is not good.

第七单元测验部分答案

1. 在听到的词语下面打√。

录音文本：

电脑　网球　游泳　电影　音乐

2. 听录音，选择正确的图片。

录音文本：

（1）我会游泳，我不会打网球。

（2）Jim的爱好是电脑游戏，他天天上网，他也喜欢游泳。

（3）丽丽的爱好是运动，她喜欢游泳，也喜欢电影。

答案：

我			√	
Jim	√		√	
丽丽			√	√

5. 写汉字。

（1）你的爱好是什么？

（2）我看电影。

（3）他的爱好是音乐。

（4）我会打网球。

（5）电视节目

6. 翻译。

（2）把英文翻译成中文。

① 你的爱好是什么？

② 他天天看电视。

③ 今天的电视节目不好看。

第八单元
交通和旅游

第二十二课　这是火车站

教学目标

交际话题： 谈公共场所。
询问某人在哪儿。

语言点： 这是火车站。
那是机场。
你在哪儿？
我在天安门广场。

生　　词： 火车　火车站　飞机　机场
电影院　饭店　天安门广场

汉　　字： 火　车　飞　店

一、基本教学步骤及练习要点

（一）导入：用图片展示5个场所，直接用汉语范读、领读这5个生词，让学生熟悉它们的发音和意义。

（二）做练习1，有意重复处所词语，提醒学生“抓住”主要词语。

（三）做练习2，朗读词语、句子，主要纠正学生的发音，也可以使用卡片等教具，让学生基本领会词语的意思。

（四）做练习3，要求学生把握句子的意思，并注意句型“某人＋去／在＋某处”。

（五）讲解两个基本句型：

（1）这／那＋是＋处所

这是火车站。

那是机场。

（2）某人＋在＋某处

我在火车站。

我在机场。

（六）做练习4、练习5，练习口头表达基本句型的能力。老师可以用领读、朗读的方式指导学生练习，然后让学生自己根据图示和基本句型进行对话练习。这两个练习都是先给对话的全句，然后给部分提示，最后只出图示，引导学生自己模仿。

（七）做练习6，进一步掌握本课词语。

（八）做练习7，这个翻译练习可以帮助学生巩固本课的语言点和词语。

（九）根据学生水平，选做教师用书中的练习。

（1）练习1、练习2帮助学生进一步掌握词语和基本句型。

（2）练习3在听力训练中结合了以前学习的处所词语和语言点“去 ＋ 某个处所”，目的是让学生把本课的基本句型“在 ＋ 某处”和学过的“去 ＋ 某处”综合起来理解、练习。

（3）练习4—6包含了一些以前学过的词语和句型，难度略有增加。

附：录音文本

（一）练习1

①火车站　②机场　③飞机　④电影院

⑤天安门广场　⑥饭店　⑦火车　⑧学校

答案：⑥⑤④③
⑦②⑧①

（二）练习3

（1）A：爸爸，我是丽丽。我在火车站，你在哪儿？
B：丽丽，我是爸爸。我在饭店。

（2）A：Jim，这是天安门广场，那是火车站。
B：小海，我们不去火车站，我们去机场。

二、练习与课堂活动建议

* 练习

（一）给下列词语注上拼音。

机场		运动场	
图书馆		北京饭店	
上海火车站		电影院	
天安门广场			

（二）连线。

This is a cinema.	Nà shì xuéxiào.
That is a hotel.	Nà shì huǒchēzhàn.
This is an airport.	Zhè shì Tiān'ānmén Guǎngchǎng.
That is a railway station.	Nà shì fàndiàn.
This is Tian'anmen Square.	Zhè shì diànyǐngyuàn.
That is a school.	Zhè shì jīchǎng.

（三）听录音，根据对话说明6个人"在哪儿"和"去哪儿"。

A. 

B. 

C. 

D. 

E. 

F. 

G. 

	我在……（I am in / at...）	我去……（I am going to...）
丽丽	A	E
Ann		
Mike		
Mary		
小红		
Jim		

（四）根据图画判断正误。

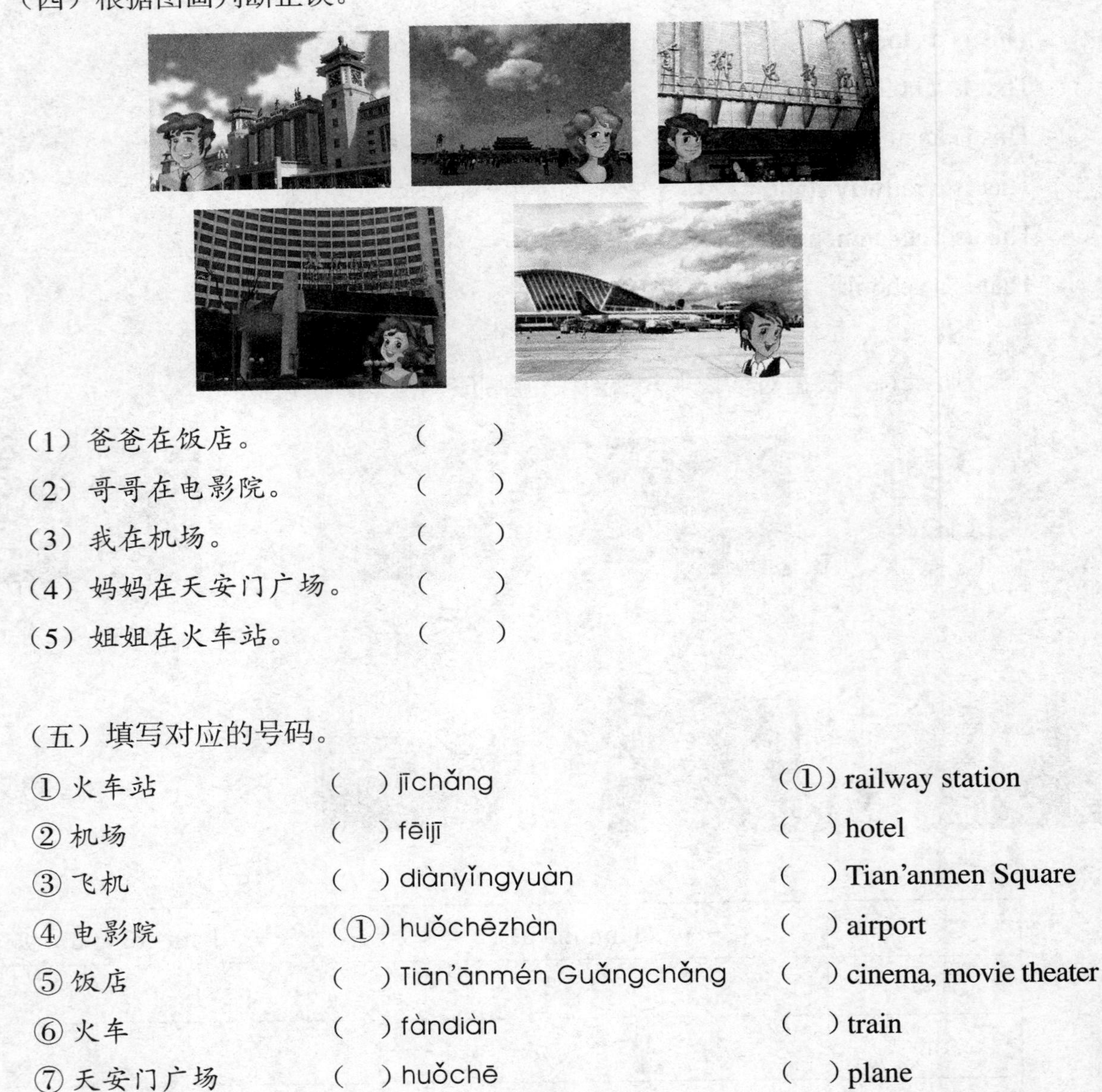

（1）爸爸在饭店。 （　　）

（2）哥哥在电影院。 （　　）

（3）我在机场。 （　　）

（4）妈妈在天安门广场。 （　　）

（5）姐姐在火车站。 （　　）

（五）填写对应的号码。

① 火车站	（　）jīchǎng	(①) railway station
② 机场	（　）fēijī	(　) hotel
③ 飞机	（　）diànyǐngyuàn	(　) Tian'anmen Square
④ 电影院	(①) huǒchēzhàn	(　) airport
⑤ 饭店	（　）Tiān'ānmén Guǎngchǎng	(　) cinema, movie theater
⑥ 火车	（　）fàndiàn	(　) train
⑦ 天安门广场	（　）huǒchē	(　) plane

（六）朗读并翻译。

Zhè shì diànyǐngyuàn. Wǒ zài diànyǐngyuàn kàn diànyǐng.

（1）这是电影院。我在电影院看电影。

____

Nà shì jīchǎng. Mary zài jīchǎng, tā jīntiān qù Shànghǎi.

（2）那是机场。Mary在机场，她今天去上海。

____

Wǒmen zài Tiān'ānmén Guǎngchǎng. Tiān'ānmén Guǎngchǎng hěn dà.
（3）我 们 在 天 安 门 广 场。 天 安 门 广 场 很 大。

____

Nà shì huǒchēzhàn. Māma zài huǒchēzhàn. Tā jīntiān qù Xiānggǎng.
（4）那 是 火 车 站。妈 妈 在 火 车 站。她 今 天 去 香 港。

____

附：录音文本

（1）我是丽丽，我在机场，我去饭店。

（2）我是Ann，我在饭店，我去图书馆。

（3）我是Mike，我在天安门广场，我去火车站。

（4）我是Mary，我在火车站，我去饭店。

（5）我是小红，我在运动场，我去天安门广场。

（6）我是Jim，我在图书馆，我去教室。

* 课堂活动建议

小组活动：

（一）每人画出自己在什么地方和想去什么地方，然后说出来。如：这是教室，我在教室，我想去运动场。

（二）准备好表示各种场所的卡片，轮流“抽签”。抽到则表示你在某地，互相出示并说出两个组员的信息。如：这是图书馆，Mary在图书馆；那是饭店，丽丽在饭店。

三、语言点与背景知识提示

（一）指示代词“这”“那”可以用于指代人，如在第四课中“这是我爸爸，那是我妈妈”；也可以指代事物，包括场所，本课是指代场所。

这是中文书，那是法文书。（事物——东西）

这是图书馆，那是火车站。（事物——场所）

（二）动词“在”

在第三课学习了有动词“在”的句子：处所 ＋ 在 ＋ 某地。

我家在北京。

本课学习的也是常用句型：某人 ＋ 在 ＋ 某处所 / 某地。

我在图书馆。

爸爸在北京。

她不在家。

（三）汉语的“这”和“那”的读音。“这”可以读为 zhè 和 zhèi，“那”可以读为 nà 和 nèi。两种发音意思完全相同。相比而言，zhè 和 nà 正式一些，zhèi 和 nèi 口语化一些。本书一律标为前者。

（四）语音练习材料是中国人老幼皆知的一首古诗《春晓》，作者是唐代诗人孟浩然。语句很简洁，有助于声调特别是三声的练习。

（五）北京的机场和火车站

北京通往各地的国内、国际航班大部分都在北京首都国际机场起落。北京站、北京西站和北京南站是北京的三个大火车站。此外，北京还有规模小一点儿的火车站。

Beijing's Airport and Train Stations

The majority of both domestic and international flights land at Beijing's Capital International Airport. There are three railway stations: Beijing Railway Station, Beijing West Railway Station, and Beijing South Railway Station. Besides these three stations, there are some smaller stations.

第二十三课　我坐飞机去

教学目标

交际话题： 谈交通工具。
描述如何去某处。

语 言 点： 你怎么去上海？
我坐飞机去。

生　　词： 怎么　坐　汽车　汽车站　开车　加拿大
澳大利亚　广州

汉　　字： 坐　开　怎　广

一、基本教学步骤及练习要点

（一）导入：通过复习学过的词语导入本课的词语学习。温习上一课刚学过的交通工具的词语“飞机、火车”，引进本课的词语：“汽车、开车、坐（飞机、火车）”等。温习以前学过的地名“北京、上海、香港”等。

（二）领读生词表之后，做练习1，听词语，熟悉词语的发音和意义。

（三）做练习2，通过朗读词组、句子，让学生逐步熟悉本课的主要词语搭配和句型：

（1）去 ＋ 某处

去北京

（2）坐 ＋ 交通工具

坐火车

（3）某人 ＋ 坐 ＋ 交通工具 ＋ 去 ＋ 某处。

爸爸坐飞机去上海。

（四）做练习3，通过听力引导，训练学生把握基本句型的意思。

（五）讲解基本句型，明确句子的结构特点：

（1）某人 ＋ 怎么（提问方式）＋ 去 ＋ 某处？

你怎么去上海？

（2）某人 ＋ 坐 ＋ 某种交通工具 ＋ 去（＋某处）。

我坐飞机去（上海）。

（六）做练习4、练习5，训练学生将以上基本句型用于口头表达。练习5在地名上进行了一些扩展，加进了以前学过的地名、处所。老师可以先让学生根据图示回忆词语，然后让学生两人一组根据图示和基本句型问答。

（七）做练习6、练习7，通过认读和翻译练习巩固本课的基本词语搭配，并进一步理解基本句型的结构和意义。

（八）做练习8，写本课的汉字。

（九）根据学生的水平和掌握情况，选做教师用书中的一些练习。

（1）练习1、练习2训练拼音和词语组合；

（2）练习3、练习4把学过的句子通过听、读练习进一步巩固；

（3）练习5则适当综合了一些学过的句型和词语，可提示学生复习。

附：录音文本

（一）练习1

①火车　②汽车　③飞机　④汽车站　⑤澳大利亚

⑥开车　⑦广州　⑧加拿大　⑨上海　⑩怎么

答案：②③①⑩

⑥⑧⑦⑨

⑤④

（二）练习3

（1）A：爸爸，你怎么去上海？

B：我坐飞机去。

（2）A：妈妈，你怎么去广州？

B：我坐火车去。

（3）A：哥哥，你怎么去加拿大？

B：我开车去。

（4）A：姐姐，你怎么去图书馆？

B：我坐汽车去。

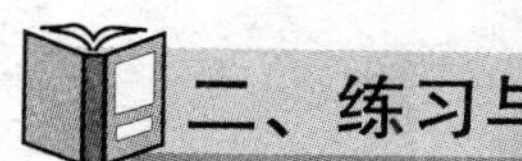

二、练习与课堂活动建议

＊ 练习

（一）给下列词语注上拼音。

去北京	去广州	坐火车	去中国
去上海	坐飞机	坐汽车	开车

（二）词语搭配。

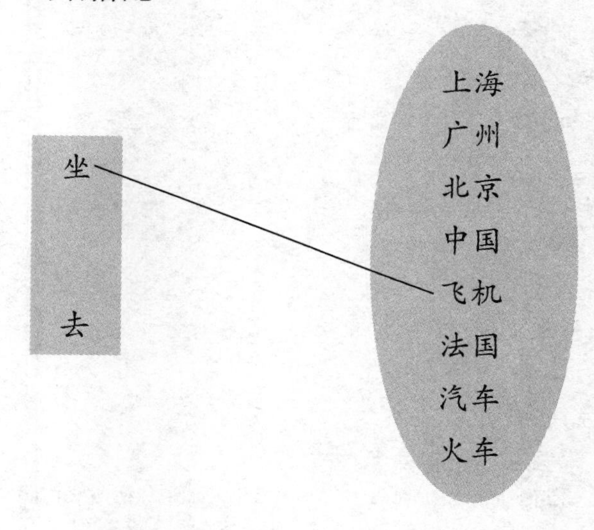

（三）听录音，根据录音选择词语填空。

（1）爸爸坐________去________。

（2）妈妈坐________去________。

（3）哥哥__________去__________。

（4）姐姐坐________去________。

① Beijing	② train
③ Guangzhou	④ Shanghai
⑤ bus	⑥ drive
⑦ plane	⑧ Canada

（四）根据图画判断正误。

（1）爸爸坐飞机去北京。　　（　　）

（2）妈妈坐飞机去北京。　　（　　）

（3）哥哥开车去图书馆。　　（　　）

（4）姐姐坐汽车去天安门广场。　　（　　）

（五）朗读并翻译。

Xiǎohǎi zài Běijīng, tā xiǎng qù Shànghǎi, tā zuò huǒchē qù Shànghǎi.
（1）小海在北京，他想去上海，他坐火车去上海。

____

Ann qù Jiānádà, tā zuò fēijī qù, tā xǐhuan zuò fēijī.
（2）Ann 去加拿大，她坐飞机去，她喜欢坐飞机。

____

Zhè shì Běijīng Huǒchēzhàn. Wǒ zài Běijīng Huǒchēzhàn, wǒ zuò huǒchē qù Xiānggǎng.
（3）这是北京火车站。我在北京火车站，我坐火车去香港。

____

Mike zài Fǎguó. Tā zuò fēijī qù Běijīng, tā xiǎng qù Tiān'ānmén Guǎngchǎng.
（4）Mike 在法国。他坐飞机去北京，他想去天安门广场。

____

Xiǎohóng zài jiā, tā xiǎng qù xuéxiào, tā zuò qìchē qù xuéxiào.
（5）小红在家，她想去学校，她坐汽车去学校。

____

附：录音文本

练习 3

（1）爸爸怎么去北京？爸爸坐飞机去。

（2）妈妈怎么去上海？妈妈坐汽车去。

（3）哥哥怎么去加拿大？哥哥开车去。

（4）姐姐怎么去广州？姐姐坐火车去。

* 课堂活动建议

小组活动。可以设计各种火车票、汽车票、飞机票等，上面注明不同的目的地。每人抽一张票，然后根据票上的信息轮流说自己怎么到某地。如：拿到的是到上海的飞机票，就说“我坐飞机去上海”。第二遍可以加大难度，每人应说出自己和前一个人的出行方式和目的地。如：“丽丽坐飞机去广州，我坐火车去北京。”

三、语言点与背景知识提示

（一）用“怎么”询问方式

疑问代词“怎么”可以组成“怎么 + 动词（或词组）”的结构来询问方式。如：

你怎么去上海？

（二）连动句

汉语中的连动句是指用两个（或两个以上）动词（或动词词组）一起构成谓语的句子。连动句中前后两个动词的关系有多种，本课介绍的是前一动词或动词词组表示后一动作的方式。如：

我坐火车去（上海）。

我们坐飞机去（中国）。

我坐汽车去（广州）。

（三）中国主要的公共交通工具

远途的有长途汽车、火车和飞机，火车是使用最多的交通工具。市内交通工具有公共汽车、出租车、地铁等，其中公共汽车最为普遍。

China's Main Means of Public Transportation

For long distances, Chinese people usually use coach buses, trains, and airplanes. Of these three, though, trains are the most extensively utilized. Within a city there are taxis, subways, and, most popular, buses.

第二十四课　汽车站在前边

教学目标

交际话题： 谈处所的位置。
问路。

语 言 点： 汽车站在前边。
往前走。

生　　词： 请问　旁边　前（边）　后（边）
左（边）　右（边）　往　走

汉　　字： 前　后　左　右

一、基本教学步骤及练习要点

（一）导入：用演示法表现方位词“前（边）、后（边）、左（边）、右（边）”的含义，可采用以下方式：

（1）做手势；

（2）指着学生说：“某人在前边，某人在右边……”；

（3）出示实物或图片，如摆出足球比赛的布阵图，说：“某人在前边，某人在后边……”

（二）做练习1，听方位词，熟悉方位词的发音和意义。

（三）做练习2，朗读词语、词组和句子，让学生一边跟读一边做手势，基本领会词语、词组搭配“往前走”“往左走”等和基本句型的意思。

（四）讲解基本句型和语言点：

（1）某处所 ＋ 在 ＋ 某方位

汽车站在前边。

（2）往 ＋ 某方位 ＋ 走

往前走。

（五）做练习3，这段听力材料把上一课的处所词语和本课的方位词，通过基本句型组合起来。要求学生熟悉并理解上述基本句型和语言点。

（六）做练习4、练习5，练习4可以用朗读、老师和学生互相问答的方式进行，练习5则可以让学生组成小组，根据图示和基本句型进行练习。完成后，可以鼓励学生根据实际情况引进更多的内容，如：

礼堂在哪儿？医院在哪儿？

运动场在哪儿？教室在哪儿？

（七）做练习6、练习7，这两项练习引导学生进一步掌握本课词语，并通过翻译综合性地训练本课主要的语言点。

（八）做练习8，写汉字。本课是本册最后一课，老师可以带领学生温习本册学过的所有汉字，并且按照偏旁归类，以提高学生认读汉字的能力。

（九）根据学生水平，选做一些教师用书中的练习：

（1）练习1—3帮助学生进一步熟悉词语、基本短语的形音义。

（2）练习4、练习5结合了一些学习过的词语，难度有一定的增加。

（3）练习6在词语和句型上都重现了本单元前面的学习内容，有利于复习、巩固。

附：录音文本

（一）练习1

①左边　②前　③左　④右边　⑤后

⑥旁边　⑦后边　⑧右　⑨前边　⑩往

答案：③⑧⑤⑨⑥

②⑩④①⑦

（二）练习3

（1）A：天安门广场在哪儿？

B：天安门广场在后边，往后走。

（2）A：火车站在哪儿？

B：火车站在右边，往右走。

（3）A：汽车站在哪儿？

B：汽车站在左边，往左走。

（4）A：机场在哪儿？

B：机场在前边。

（5）A：饭店在哪儿？

B：饭店在旁边。

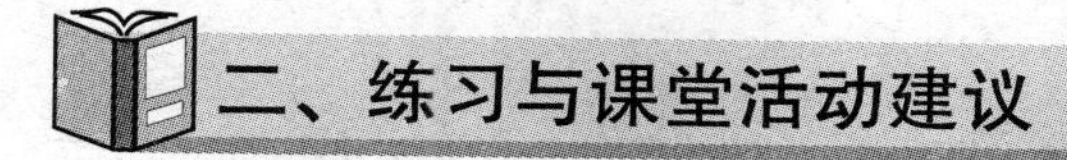

二、练习与课堂活动建议

* 练习

（一）写出下列词语的拼音。

excuse me		side	
front		to, toward	
back		to go; to walk	
left		right	

（二）读汉语，找拼音。

往前走	wǎng zuǒ zǒu
往左走	zài yòubian
往右走	wǎng qián zǒu
在左边	zài zuǒbian
在右边	wǎng yòu zǒu
在旁边	zài hòubian
在后边	zài pángbiān

（三）写上相应的号码。

①请问	wǎng	side
②前	zuǒ	to go; to walk
③后	pángbiān	left
④左	zǒu	front
⑤右	yòu	right
⑥旁边	qián	① excuse me
⑦往	hòu	toward
⑧走	① qǐngwèn	back

（四）听录音，用所给的词语填空。

（1）railway station	（2）bus station	（3）airport	（4）hotel
（5）cinema	（6）library	（7）left	（8）right
（9）front	（10）back		

Mary在________，她去________。汽车站在________。

Jim在__________，他去________。饭店在__________。

小海在_________，他去________。电影院在________。

Mike在________，他去________。图书馆在________。

（五）根据提示，画出处所的位置。

机场在前边。

火车站在右边。

汽车站在后边。

饭店在左边。

电影院在旁边。

front

left

（六）朗读并翻译。

Wǒ zài fàndiàn, wǒ xiǎngkàn Zhōngguó diànyǐng. Diànyǐngyuàn zài yòubian, wǒ wǎng yòu zǒu.
（1）我在饭店，我想看中国电影。电影院在右边，我往右走。

____

Jīntiān jiějie yǒu Zhōngwénkè, tā huì kāichē, tā kāichē qù xuéxiào, xuéxiào zài zuǒbian.
（2）今天姐姐有中文课，她会开车，她开车去学校，学校在左边。

____

Bàba zài huǒchēzhàn, jīntiān tā yào qù Guǎngzhōu, tā zuò huǒchē qù. Běijīng hěn lěng, Guǎngzhōu bù lěng.
（3）爸爸在火车站，今天他要去广州，他坐火车去。北京很冷，广州不冷。

____

Tǐyùguǎn zài pángbiān, gēge zài tǐyùguǎn dǎ lánqiú. Tā xǐhuan yùndòng, tā tiāntiān dǎ lánqiú.
（4）体育馆在旁边，哥哥在体育馆打篮球。他喜欢运动，他天天打篮球。

____

附：录音文本

练习 4

（1）Mary在火车站，她去汽车站。汽车站在左边。

（2）Jim在机场，他去饭店。饭店在右边。

（3）小海在饭店，他去电影院。电影院在后边。

（4）Mike在汽车站，他去图书馆。图书馆在前边。

***　课堂活动建议**

（一）小组活动。画一张所在城市或地区的示意图，标出一些主要的地方，然后设计自己在不同的位置问路，以此进行对话练习。也可以一人上台，向其他同学提问。大家轮流上台，由提问者决定问路人的位置。

（二）小组活动。模仿下列句子，根据实际情况介绍你家旁边的运动场、图书馆、汽车站等场所，可以一边画图一边表达："这是我家。汽车站在前边，电影院在右边，运动场在后边……"

三、语言点与背景知识提示

（一）汉语的方位词

方位词是指表达方向和相对位置关系的词，分为单纯方位词和合成方位词。

单纯方位词都是单音节的，如"上、下、左、右、前、后、东、南、西、北"等。本课介绍了"前、后、左、右"四个单纯方位词。单纯方位词较少单独使用，可以作为介词或动词"往""向""朝"的宾语，如"往前走""往西看""向后退""朝前看"等。本课中介绍的方位词放在介词"往"的后面作宾语，是指路时常用的方式，如"往南走""往右拐""往前走"等。部分合成方位词在单纯方位词后边加"边"，意思不变。本课在生词表中用括号的形式列出。合成方位词用法较多，可以单独作主语、宾语。如：

前边很多人。

汽车站在前边。

本课介绍的是合成方位词作宾语的句型。

（二）介词"往"

"往"作为介词表示动作的方向。跟方位词、处所词组合，用在动词前。如"往前走""往下看""往右开"等。

（三）形声字

由表示字义类别的偏旁和表示字音的偏旁组成的字叫形声字。汉字中形声字占80%以上。形声字都是合体字，表示字义的偏旁叫形旁，表示字音的偏旁叫声旁。如“爸”，形旁“父”表示“爸”的意思，声旁“巴”代表字音。形声字的形旁、声旁的部位有六类：

左形右声：河、跑

右形左声：期、视

上形下声：爸、药

下形上声：想、架

外形内声：阁、园

内形外声：问、闻

（四）中国的交通规则

中国的交通规则是车辆靠右行驶，高速公路的最高车速不得超过每小时120公里。

Chinese Traffic Rules

Chinese traffic regulations require that vehicles drive on the right side of road. The speed limit on expressways is 120 km per hour.

文化内容拓展

中国的公共交通

随着中国经济的发展，城市人口的增多，城市的交通也日益完善发达。为了有效解决交通拥堵和空气污染问题，各地都大力发展公共汽车、地铁和出租车等公共交通。为了鼓励人们使用公共交通工具，公共汽车和地铁票价都很便宜，公共汽车和地铁已成为很多城市居民出行的主要交通方式。

中国最主要的长途交通工具是火车。中国有贯穿南北东西的铁路网。近年又发展了高速铁路，提高了铁路运输的速度，成为人们出行的首选。如北京到上海、天津、广州等地，都有便捷的高铁。北京到上海的京沪高铁，途经北京、天津、河北、山东、安徽、江苏、上海7省市，最短旅行时间为4小时48分钟，全长1 318千米，是世界上一次性建成的线路最长、标准最高的高速铁路。北京到广州的京广高速铁路，自北京经石家庄、郑州、武汉、长沙、衡阳至广州，全长约2 230千米，是世界上运营里程最长的高速铁路。该线路的最短旅行时间为7小时59分。

飞机也是人们外出旅行的常用交通工具。中国民航发展迅速，有数以千计的国内航线和四通八达的国际航线。机场分布在全国各地，通航世界五大洲。随着人们生活水平的提高，越来越多的人愿意用这种更加快捷的方式出行，尤其是利用节假日到中国及世界各地旅游观光。

此外，对于中短途甚至长途旅行来说，客运汽车也是一个不错的选择。中国各地已经建成高速公路网，长途汽车站点遍布城乡各地，这种便捷、便宜的出行方式也受到人们的喜爱。

Public Transportation in China

With China’s economic development and swelling urban population, cities are struggling to improve traffic and transportation. In order to improve traffic congestion and air pollution, these cities have developed extensive bus, subway, and taxi networks. To encourage people to use these public transportation options like the subway or buses, fares are kept very low.

For long-distance transportation, China has a comprehensive railway network stretching north to south, east to west. With the development of the high-speed railway in the last years, train speed has vastly improved. The high-speed railway between Beijing and Shanghai passes through seven provinces and provincial cities, including Beijing, Tianjin, Hebei, Shandong, Anhui, Jiangsu, and Shanghai. This railway, the highest standard high-speed railway in the world, covers 1,318 km in less than five hours. The high-speed railway connecting Beijing and Guangzhou stretches 2,230 km, passing through the cities of Shijiazhuang, Zhengzhou, Wuhan, Changsha, and Hengyang in seven hours and 59 minutes.

Airplanes are also popular. China's civilian aviation has developed rapidly to include thousands of domestic and international routes. With improved standards of living, increasing numbers of people are willing to and capable of using this method of travel, especially on holidays and for sightseeing.

For both long- and short-distance travel, coach buses are a great choice. China has a comprehensive network of highways with numerous bus stations throughout urban and rural areas. This convenient and inexpensive way to travel is very popular.

学生用书第六单元“中国文化”页中的四张图从上到下分别为：图1：北京地铁站内情景；图2：北京平安大街上的出租车；图3：开往天津的长途汽车；图4：正在刷卡上车的乘客。

第八单元测验

1. 听录音，选择正确的图片。

2. 说一说。

（1）看图说话。

爸爸在饭店，他想去电影院，他坐汽车去电影院。

（2）用下面的词语介绍你家附近的场所。

túshūguǎn 图书馆	yùndòngchǎng 运动场
huǒchēzhàn 火车站	yīyuàn 医院
diànyǐngyuàn 电影院	shāngdiàn 商店
qìchēzhàn 汽车站	jīchǎng 机场

zài
在

qián (bian) 前（边）
hòu (bian) 后（边）
zuǒ (bian) 左（边）
yòu (bian) 右（边）
pángbiān 旁边

3. 把句子和相应的拼音连在一起，然后朗读。

（1）妈妈在饭店。	Zěnme qù Jiānádà?
（2）怎么去加拿大？	Huǒchēzhàn zài pángbiān.
（3）开车去机场。	Qìchēzhàn zài qiánbian.
（4）坐飞机去广州。	Kāichē qù jīchǎng.
（5）汽车站在前边。	Māma zài fàndiàn.
（6）火车站在旁边。	Zuò fēijī qù Guǎngzhōu.

4. 连线。

（1）Beijing Hotel	天安门广场
（2）Tian'anmen Square	北京饭店
（3）railway station	火车站
（4）by bus	机场
（5）to drive	开车
（6）excuse me	坐汽车
（7）airport	走
（8）to go; to walk	请问

5. 写汉字。

（1）by train ＿＿＿＿＿＿
（2）to drive ＿＿＿＿＿＿
（3）plane ＿＿＿＿＿＿
（4）left ＿＿＿＿＿＿
（5）right ＿＿＿＿＿＿
（6）front ＿＿＿＿＿＿
（7）back ＿＿＿＿＿＿

6. 翻译。

Qǐngwèn, qìchēzhàn zài nǎr?
（1）请问，汽车站在哪儿？

____

Qìchēzhàn zài qiánbian, wǎng qián zǒu.
（2）汽车站在前边，往前走。

____

Gēge xiǎng qù diànyǐngyuàn, tā kāichē qù.
（3）哥哥想去电影院，他开车去。

____

Zhè shì qìchēzhàn, nà shì huǒchēzhàn, wǒ zuò huǒchē qù Guǎngzhōu.
（4）这是汽车站，那是火车站，我坐火车去广州。

____

第八单元测验部分答案

1. 听录音，判断对错。

录音文本：

小海在火车站，他坐火车去上海。

Mary 在机场，她坐飞机去北京。

Jim 在汽车站，他坐汽车去图书馆。

Ann 在机场，她坐飞机去加拿大。

Mike 在饭店，他坐汽车去天安门广场。

丽丽在学校，她坐汽车去电影院。

答案：

×	√	×
×	√	×

3. 把句子和相应的拼音连在一起，然后朗读。

（1）妈妈在饭店。 Zěnme qù Jiānádà?

（2）怎么去加拿大？ Huǒchēzhàn zài pángbiān.

（3）开车去机场。 Qìchēzhàn zài qiánbian.

（4）坐飞机去广州。 Kāichē qù jīchǎng.

（5）汽车站在前边。 Māma zài fàndiàn.

（6）火车站在旁边。 Zuò fēijī qù Guǎngzhōu.

4. 连线。

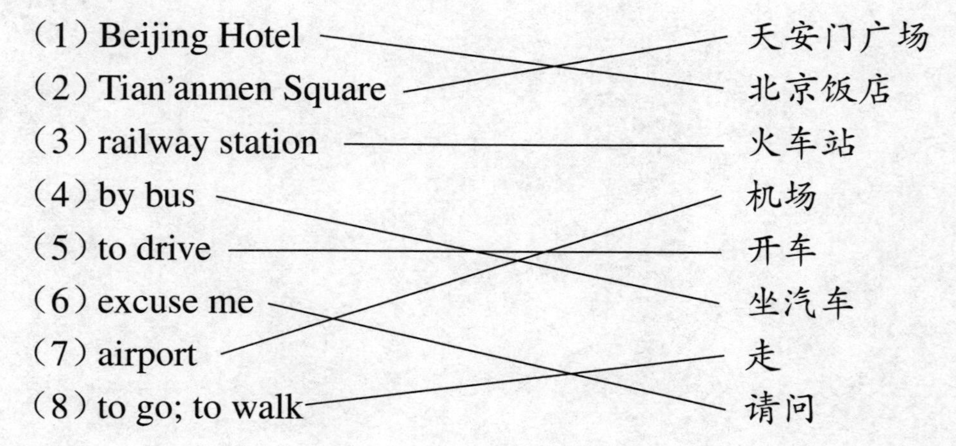

1
你
7画 nǐ
1
好
6画 hǎo
1
很
9画 hěn
2
中
4画 zhōng
2
国
8画 guó
2
人
2画 rén
3
我
7画 wǒ
3
在
6画 zài

3	3	4	4
北	京	这	那
5画 bĕi	8画 jīng	7画 zhè	6画 nà

4	4	5	5
爸	妈	只	小
8画 bà	6画 mā	5画 zhī	3画 xiǎo

5
一
1画 yī
5
六
4画 liù
6
子
3画 zǐ
6
大
3画 dà
6
个
3画 gè
6
有
6画 yǒu
7
早
6画 zǎo
7
上
3画 shàng

7
吃
6画 chī
7
牛
4画 niú
8
要
9画 yào
8
水
4画 shuǐ
8
汽
7画 qì
8
茶
9画 chá
9
也
3画 yě
9
米
6画 mǐ

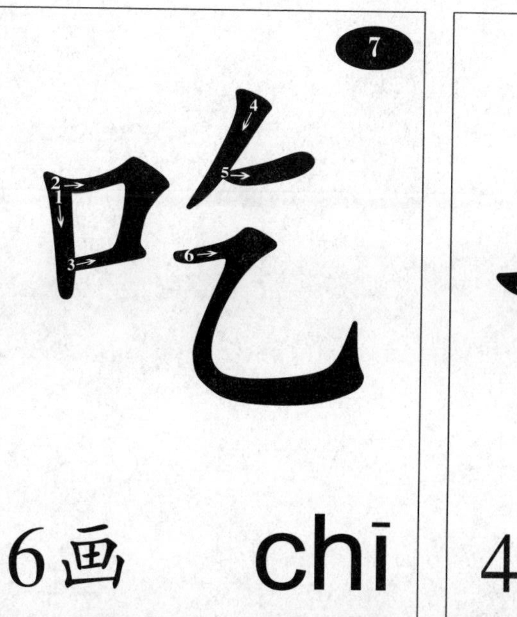

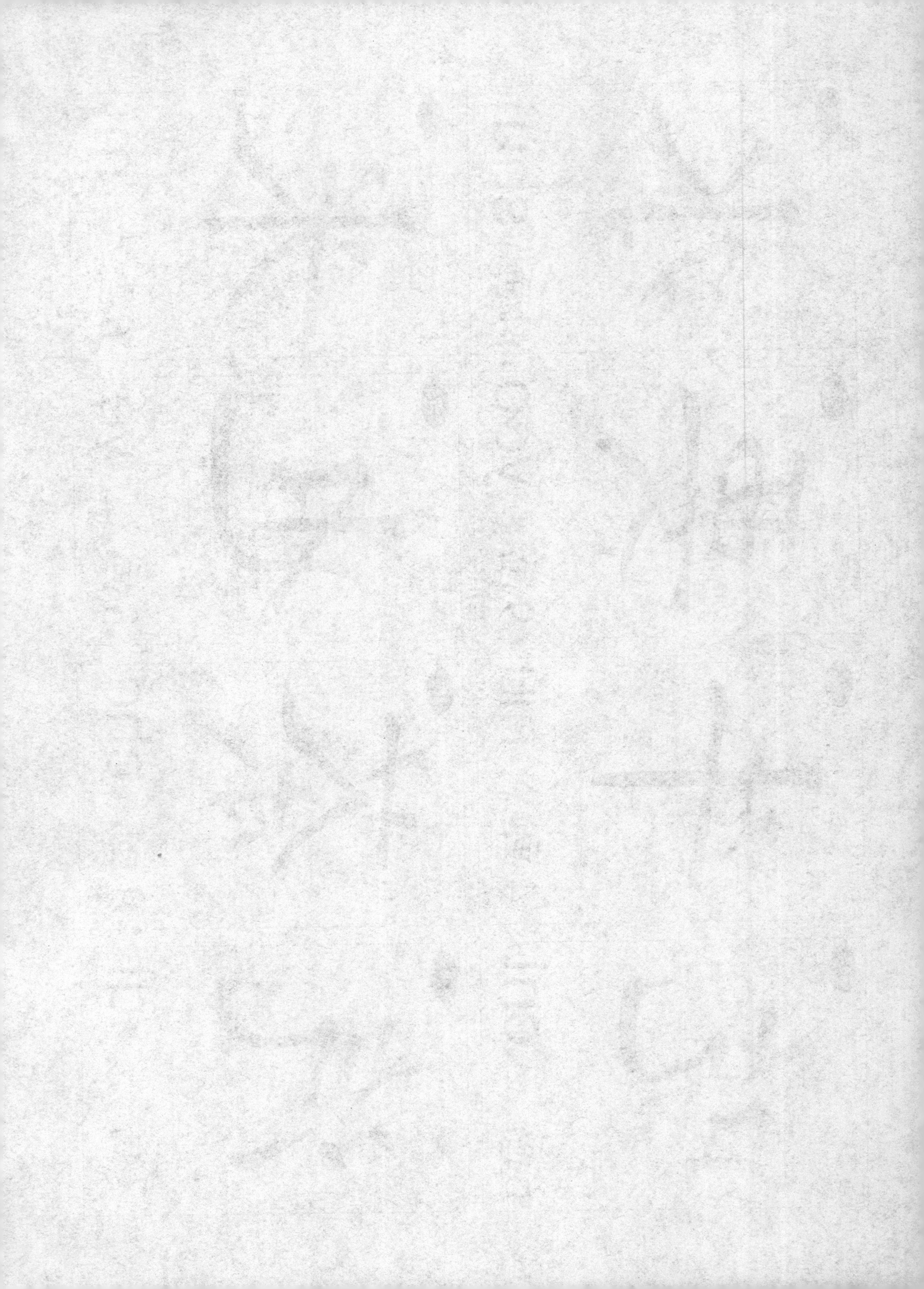

9

肉

ròu

6画

9

鱼

yú

8画

10

文

wén

4画

10

星

xīng

9画

10

课

kè

10画

10

法

fǎ

8画

11

男

nán

7画

11

女

nǚ

3画

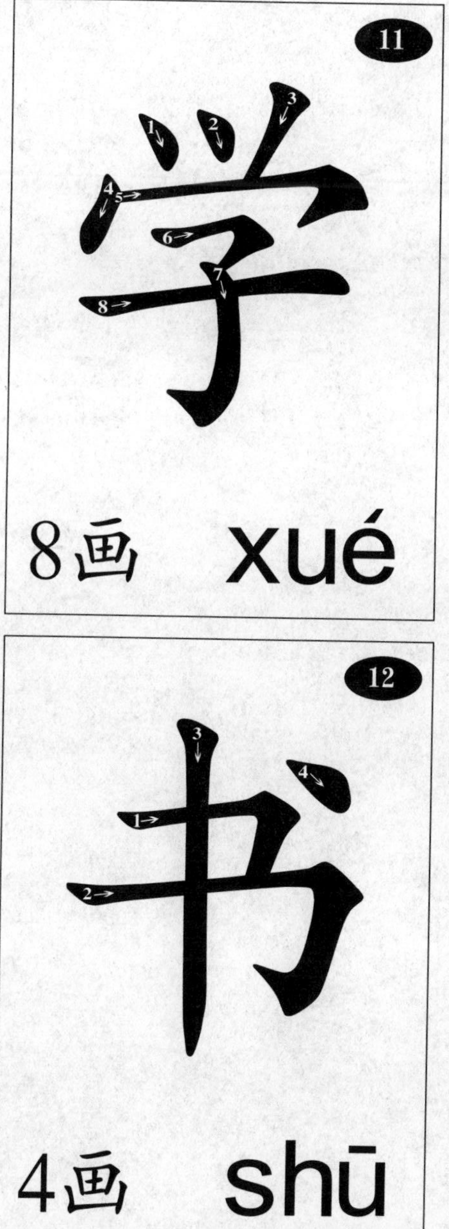

11 学 8画 xué

11 生 5画 shēng

12 去 5画 qù

12 图 8画 tú

12 书 4画 shū

12 馆 11画 guǎn

13 现 8画 xiàn

13 几 2画 jǐ

13
点
9画 diǎn
13
半
5画 bàn
14
日
4画 rì
14
月
4画 yuè
14
号
5画 hào
14
岁
6画 suì
15
今
4画 jīn
15
天
4画 tiān

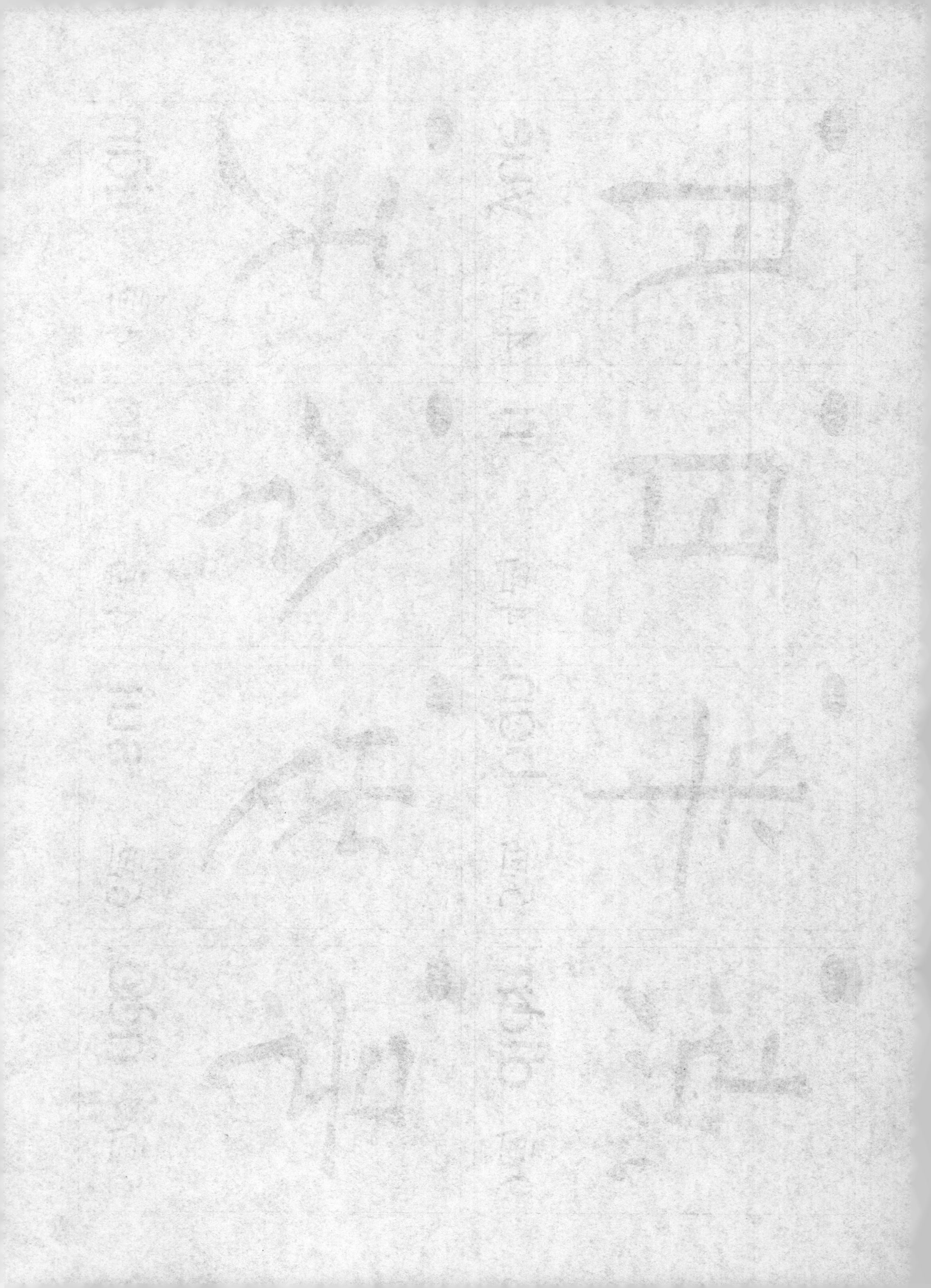

15
冷
7画 lěng
16
工
3画 gōng

15
热
10画 rè
16
是
9画 shì
16
师
6画 shī
16
画
8画 huà
17
校
10画 xiào
17
长
4画 zhǎng

17
院
9画 yuàn
17
机
6画 jī
18
您
11画 nín
18
想
13画 xiǎng
18
吧
7画 ba
18
做
11画 zuò
19
什
4画 shén
19
么
3画 me

19
音
9画 yīn

19
乐
5画 yuè

20
会
6画 huì

20
打
5画 dǎ

20
网
6画 wǎng

20
球
11画 qiú

21
看
9画 kàn

21
电
5画 diàn

21

节

5画 jié

21

目

5画 mù

22

火

4画 huǒ

22

车

4画 chē

22

飞

3画 fēi

22

店

8画 diàn

23

坐

7画 zuò

23

开

4画 kāi

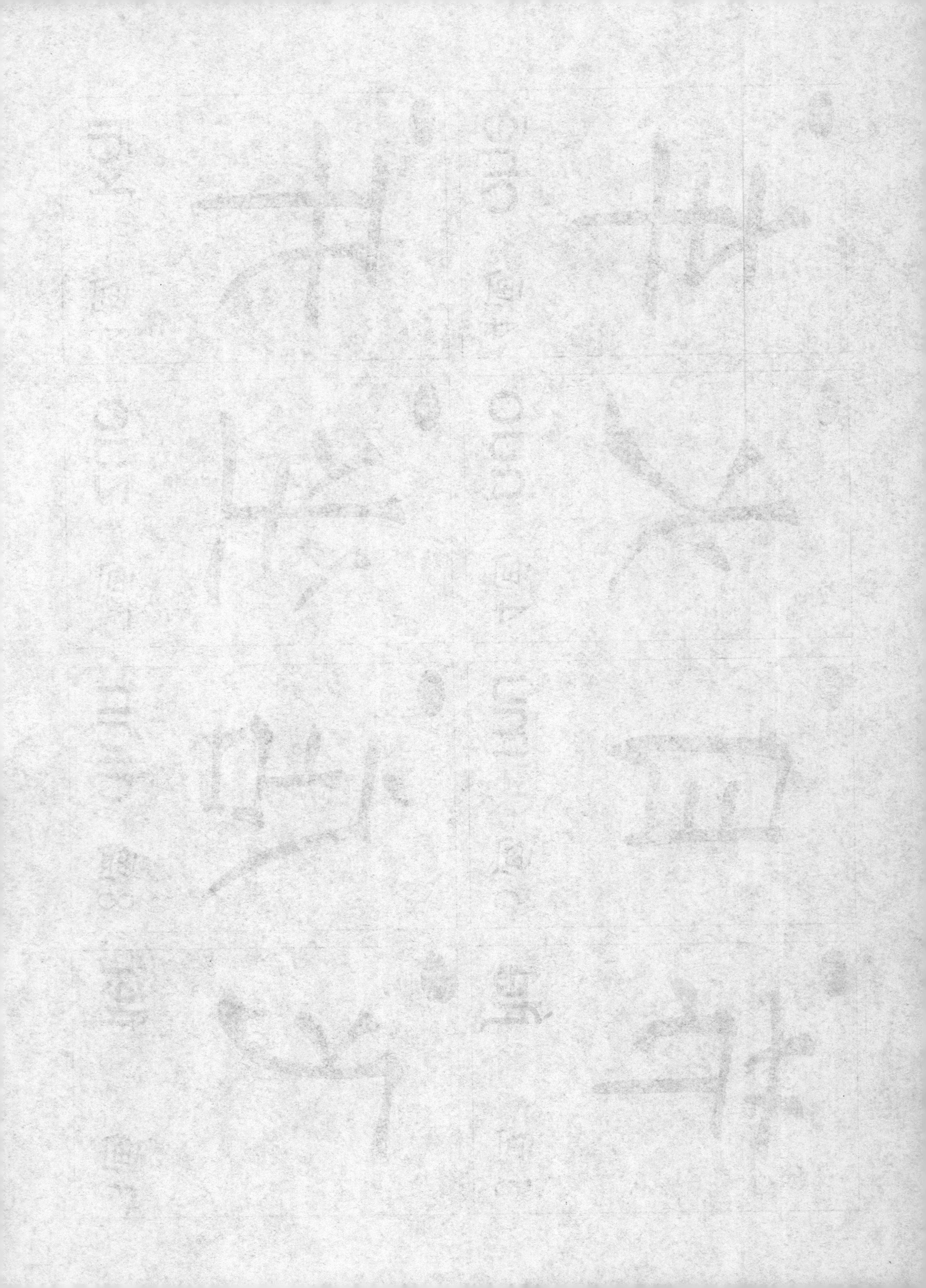

23
怎
9画 zěn
24
左
5画 zuǒ

23
广
3画 guǎng
24
右
5画 yòu

24
前
9画 qián

24
后
6画 hòu